Le bruit solitaire du cœur

Henri Troyat

de l'Académie française

Le bruit solitaire du cœur

Éditions J'ai lu

A mon père

« Je vogue donc vers ce large
où ne parvient que le bruit
solitaire du cœur... »

COLETTE, *Le Fanal bleu.*

1

En rouvrant les yeux, Igor Dimitrievitch Lébédev
eut l'impression que son corps, soudain rajeuni,
flottait à la surface d'une eau tiède. Incontestablement, il allait mieux que la veille. Sa légère douleur
dans la poitrine avait disparu. Il respirait presque
sans effort. D'une main tâtonnante, il ralluma sa
lampe de chevet, à l'abat-jour décoré d'une caravelle, toutes voiles au vent, et chaussa ses lunettes.
Le monde se rapprocha d'un bond. La pendulette
marquait six heures vingt du matin. Par la fente des
rideaux mal fermés, rayonnait une aube grisâtre et
poisseuse. Paris s'ébrouait sous la pluie. Comme
l'appartement était situé au premier étage, le roule-
ment des camions faisait vibrer les vitres par
intermittence. Malgré cet inconvénient, Igor Dimitrievitch tenait à sa coquille comme à un prolonge-
ment de lui-même. Il y avait, entre ces murs et lui,
des adhérences sensibles, des tiraillements organi-
ques. Après la mort, sept ans plus tôt, de sa femme,
Hélène Alexeïevna, ses deux fils lui avaient
conseillé de déménager par crainte qu'il ne suc-
combât aux regrets dans ce décor trop familier. Il
avait refusé, préférant le subtil poison du souvenir

au choc libérateur de la nouveauté. Sa chambre ouvrait par une sorte de baie sans rideaux sur la chambre d'Hélène. On avait enlevé la porte de communication à double battant. Leurs lits se faisaient vis-à-vis. Autrefois, en se réveillant, il apercevait, en face de lui, son épouse vieillissante, le buste soutenu par les oreillers, les épaules couvertes d'une liseuse blanche tricotée à la main. Ils échangeaient quelques mots tendres, à distance, comme on se parle d'un bateau à l'autre, dans un port.

Devenu veuf, il n'avait pas voulu modifier la disposition des lieux. Le lit d'Hélène était toujours là, indéracinable. Igor Dimitrievitch le contempla, ce matin encore, avec un serrement de cœur. C'était là-dessus qu'on l'avait exposée morte. Il avait espéré disparaître aussitôt après elle. Et voici qu'il s'avançait seul, inutile, épuisé et amer, vers le bout de la route. En septembre de cette année 1968, il fêterait, en famille, son quatre-vingt-treizième anniversaire. C'était trop. Sa constitution robuste lui jouait un mauvais tour. Il leva les yeux vers l'icône qui brillait, éclairée par la flamme de la veilleuse, dans un angle de la chambre, se signa par trois fois, murmura une prière. Au vrai, il ne savait que demander à Dieu en ce moment : de le maintenir en bonne santé ou de hâter son départ.

Trop faible pour se lever seul, il devait attendre que Zénaïde Antonovna vînt l'aider à sortir du lit. Mais il n'osait pas l'appeler avant sept heures. Telles étaient leurs conventions. Elle dormait dans la petite pièce voisine dont la porte, donnant sur la chambre, était toujours ouverte. Il l'entendait ronfler, grommeler dans son sommeil. Tout en elle l'agaçait, son visage olivâtre, ses cheveux plats qu'elle teignait en acajou, sa légère claudication.

Pourtant il ne pouvait se passer d'elle. D'ailleurs, elle avait soigné Hélène avec dévouement. Rien que pour cette raison, elle était inamovible. Il cueillit son dentier qui trempait dans un verre d'eau aromatisée, sur la table de nuit, et le mit dans sa bouche avec dextérité. Quelques mouvements des mâchoires pour s'assurer que l'appareil était bien en place, et il se sentit complet de la tête aux pieds. La journée pouvait commencer. De nouveau, il regarda la pendulette. Les aiguilles rampaient. L'attente, en se prolongeant, devenait insupportable. Un transistor reposait sur le bord du lit, à portée de sa main. Il tourna le bouton et libéra une musiquette sautillante. Sournoisement, il augmenta le volume du son. Dans sa chambre, à côté, Zénaïde Antonovna, dérangée par le bruit, s'agita, toussa, grogna. Au bout d'un moment, elle parut sur le seuil, les pieds chaussés de savates, le buste ficelé dans un peignoir japonais effrangé et déteint. Des cigognes picoraient de leur long bec sa silhouette trapue. Il feignit l'étonnement :

— Déjà levée ?

— Vous avez mis la musique très fort, exprès, Igor Dimitrievitch, dit-elle avec reproche.

— Mais non, balbutia-t-il, j'ai fait comme d'habitude.

Son audace l'amusait et l'effrayait à la fois. Il avait peur de cette femme. Elle n'avait que soixante-huit ans, le bel âge, et, tout en se plaignant de mille maux, se montrait étonnamment vigoureuse et active. Elle savait tout de lui : son passé en Russie, sa fatigue, ses manies, les louches indispositions de son vieux corps pourri. Il lui semblait qu'elle tenait sa vie entre ses mains. D'autorité, elle lui tendit un verre d'eau et la boîte de comprimés. Il en avala deux et esquissa une grimace. Puis elle se rendit dans la cuisine pour préparer le petit déjeuner. A la fois infirmière et femme de ménage, elle faisait marcher la maison et tenait en échec la maladie. Que demander de plus ? A présent la radio diffusait des nouvelles. Elles traversaient les oreilles d'Igor Dimitrievitch sans atteindre son cerveau. Le tumulte politique de l'univers le laissait aussi indifférent que le passage des autos dans la rue.

Zénaïde Antonovna revint avec le plateau chargé d'une théière, d'un pot d'eau chaude, de quelques biscottes beurrées et de deux tasses. Du temps d'Hélène, elle avalait son petit déjeuner en vitesse, toute seule, à la cuisine. Maintenant elle le prenait tête à tête avec lui, dans la chambre. C'était au lendemain de l'enterrement qu'elle avait commencé à manifester une licence voisine du sans-gêne. Chaque jour elle s'étalait davantage, sortant de son rôle ancillaire pour s'affirmer comme une authentique maîtresse de maison. Il la laissait faire, soucieux d'éviter les éclats. Plusieurs fois ses fils, trouvant que Zénaïde Antonovna en prenait trop à son aise, avaient proposé de la congédier et d'engager à sa place une garde-malade française. Il les avait suppliés de n'en rien faire. Un tel dépaysement, disait-il, l'aurait tué. Depuis quarante-huit ans qu'il habitait la France, il n'avait pas quitté les milieux de l'émigration russe. Il y vivait comme dans une petite province isolée au cœur du pays officiel. On se réunissait entre gens d'une même terre, d'un même passé. On ressassait des souvenirs pâlis par l'usage. L'obligation de parler français à une employée lui semblait au-dessus de ses forces. De même, il refusait de se laisser examiner par un médecin français. Il y en avait un dans l'immeuble, dont on disait le plus grand bien. Cependant, Igor Dimitrievitch préférait s'adresser au docteur Philippov, un praticien d'origine russe, qui avait fait ses études à Paris et jouissait d'une excellente réputation parmi ses compatriotes exilés. C'était d'ailleurs le docteur Philippov qui avait soigné Hélène jusqu'à son dernier souffle. Grâce à lui, elle avait survécu à deux opérations successives. Il lui avait permis de gagner dix-huit mois sur la mort. Aujourd'hui, Igor Dimitrievitch avait de la peine à imaginer sa femme vivante. Quand il pensait à elle, les contours et les couleurs se diluaient dans son esprit. Il voyait une blondeur, un sourire, des yeux bleus fatigués, un certain embonpoint, il percevait une voix lointaine. Oui, la voix persistait dans son oreille. Il l'entendait même la nuit. Un étourdissement le saisit, il ouvrit la bouche pour répondre à un fantôme et se tut parce que Zénaïde Antonovna déposait le plateau sur un guéridon à côté du lit.

Puis elle ouvrit les rideaux, s'assit au chevet d'Igor Dimitrievitch et servit le thé. Igor Dimitrievitch considérait le petit déjeuner comme l'un des grands moments de sa journée. Il aimait le glissement parfumé de l'infusion dans sa bouche, le craquement des biscottes entre ses dents, leur émiettement savoureux sur sa langue. Mais la présence de Zénaïde Antonovna lui gâchait son plaisir. Veuve d'un sous-officier de l'armée Vrangel, elle manquait de manières. Elle aspirait son thé avec un léger sifflement, mâchouillait ses tartines dans un clapotis de salive, reniflait, soupirait, se tortillait sur sa chaise. Il ne pouvait supporter qu'elle mît trois morceaux de sucre dans sa tasse ni qu'elle tournât sa cuiller en la cognant fort contre les parois de porcelaine. Et, tout en buvant, tout en mangeant, elle ne cessait de parler. Il feignait de l'écouter, par politesse. Mais, au-dedans de lui-même, il la piétinait. Pour couper court à ce babillage, il dit soudain :

— N'est-ce pas cet après-midi que Nicolas doit passer me voir ?

— Il a dit qu'il essaierait, mais qu'il n'était pas sûr et que, de toute façon, il téléphonerait avant.

— Ah bon ! Et Boris ?

— Vous oubliez qu'il est venu hier !

Igor Dimitrievitch accusa le coup par un trébuchement du regard. Cette visite s'était effacée de sa mémoire. Mais il refusa d'en convenir.

— Il pourrait revenir ce soir, dit-il vaguement.

Pour toute réponse, Zénaïde Antonovna haussa les épaules. Elle lui reprochait à tout bout de champ ses absences. Pourtant, cette nuit encore, il avait retrouvé le nom d'un de ses camarades de classe au gymnase, à Moscou. Evidemment, il n'y avait aucune chance pour que Boris passât aujourd'hui. Ses deux fils étaient très occupés par leur travail, par leur famille. L'aîné, Nicolas, était l'unique concessionnaire, pour la France, d'une firme allemande d'articles de bureau. Son commerce marchait bien mais dévorait son temps. Le cadet, Boris, était dans les assurances. Lui aussi gagnait largement sa vie. De plus, Huguette, sa femme, avait hérité de ses parents une fortune considérable. L'appartement qu'habitait Igor Dimitrievitch était la propriété d'Huguette. Il l'occupait gratuitement depuis vingt-deux ans. Sans ses fils, qui lui versaient une pension confortable, il aurait été réduit à finir ses jours dans quelque maison de retraite pour indigents. Il en souffrait parfois dans son orgueil. Surtout lorsqu'il repensait à son passé d'homme d'affaires, actif et fastueux, en Russie. Un hôtel particulier à Moscou, une propriété au Caucase, à Kislovodsk, une autre dans le

Kouban, des comptoirs de drap dans plusieurs grandes villes du Sud, la notoriété, l'estime, l'argent facile. Tout cela balayé par le vent de la révolution bolchevique. Etait-ce le même individu qui avait connu ces deux vies, l'une brillante, insouciante, ouverte, l'autre grise et repliée ? Il en doutait parfois. S'il se retournait pour regarder en arrière, il ne changeait pas d'époque, il changeait de peau. Dieu l'avait condamné à cette dualité foncière sous une identité apparente. Et pourtant, il ne pouvait pas se plaindre. Bien logé, bien soigné, il ne manquait de rien, sauf de cette continuité dans le destin qui confère à un homme la sensation de sa permanence à travers les âges.

Il fit signe qu'il voulait se lever. Selon une technique éprouvée, il commença par s'asseoir dans son lit, pivota lentement, descendit les jambes et enfin, tirant sur le bras que lui tendait Zénaïde Antonovna, se dressa de toute sa taille dans un effort qui lui donna un étourdissement. Après ce très court déséquilibre, il se mit en marche, traînant les pieds dans ses pantoufles. Appuyé d'un côté sur sa canne à pommeau d'argent et à bout de caoutchouc, de l'autre sur l'épaule de Zénaïde Antonovna, il se dirigea vers les cabinets. Interdiction de s'enfermer à clef par crainte d'un malaise. Pendant qu'il se trouvait dans le réduit, il entendait le va-et-vient de Zénaïde Antonovna dans l'appartement. Cette agitation toute proche l'incommodait. De temps à autre, Zénaïde Antonovna demandait à travers la porte :

— Ça va, Igor Dimitrievitch ?

Bourru, il grondait :

— Ça va. Laissez-moi tranquille !

Quand elle entendit le bruit de la chasse d'eau, elle vint le chercher. Il sortit, refusa le bras de

Zénaïde Antonovna et marcha jusqu'à la salle de bains avec la seule aide de sa canne. Elle resta derrière lui pendant qu'il se rasait, devant le lavabo. Il n'aimait pas se voir dans la glace. Face à ce maigre visage raviné, au front dégarni et marqué de tavelures bistre, au regard usé et lointain, à la couenne piquée de poils blancs, il se disait, avec une stupeur attristée, qu'il n'eût pas voulu de cet homme-là pour ami. Après le rasoir, il saisit une paire de ciseaux pour égaliser sa moustache. Sa main tremblait. Il taillait de travers. Zénaïde Antonovna prétendit le relayer. Il s'y opposa abruptement. Restait le plus important : le bain. Malgré la fatigue, il sacrifiait tous les huit jours à cet usage. Zénaïde Antonovna sortit pendant qu'il retirait son pyjama, mais revint pour l'aider à enjamber le bord de la baignoire. Le chauffe-bain à gaz tressautait de toutes ses tôles. Le robinet chuintait en crachant son jet. L'eau était juste à la bonne température, ni trop chaude ni trop froide. Igor Dimitrievitch s'y prélassa tandis que Zénaïde Antonovna lui savonnait le dos. Au début, il n'avait pas voulu se laisser faire. Il avait honte de sa nudité devant cette femme énergique aux cheveux acajou. Maintenant, il acceptait d'être lavé, bichonné comme un nourrisson. Avait-il seulement un sexe ? Il fallait qu'il regardât entre ses jambes pour s'en souvenir. Penchée au-dessus de la baignoire, Zénaïde Antonovna haletait en frottant ce vieux corps avec aussi peu d'arrière-pensées que si elle eût récuré une casserole. Il voyait son visage congestionné se baisser et se relever devant lui dans un effort de bonne ménagère. Une odeur alliacée montait de ses aisselles en mouvement.

— Là, là, vous voilà propre comme un fiancé à la veille de la noce ! marmonnait Zénaïde Antonovna.

12

Quand ce fut fini, elle l'arrosa avec un broc, le tira hors de l'eau, l'enveloppa dans un peignoir et le frictionna avec force, en séchant bien les replis de sa peau pour éviter les rougeurs. Vêtu d'un pyjama propre, sanglé dans une robe de chambre en laine, couleur cachou à liséré jaune, il se rendit dans la salle à manger où son fauteuil l'attendait. A côté, derrière une porte vitrée à double battant, il y avait le salon. Du temps d'Hélène, on s'y réunissait en famille ou entre amis avant de passer à table. Aujourd'hui, le salon ne servait plus guère et dormait, solennel, avec ses fauteuils de style Louis XV tout neufs, tendus de soie vert amande, son lustre à pendeloques et ses gravures russes anciennes sous verre. Le bain avait ramolli Igor Dimitrievitch au point qu'il respirait par saccades. Mais cet essoufflement n'était pas désagréable. Il s'assit lourdement, posa les mains sur ses genoux et renversa la tête. Des pensées confuses défilaient dans son cerveau comme lorsqu'il se préparait au sommeil. Cependant, il gardait les yeux ouverts. Il attendait le courrier. Ses amis, ses parents avaient depuis longtemps disparu de la surface de la terre. Monstre préhistorique, il survivait à sa génération. Personne ne lui écrivait plus. Mais il recevait régulièrement le journal et parfois des prospectus. Il se fâcha parce que le concierge était en retard pour la distribution. Déjà neuf heures dix !

— Allez voir pourquoi il ne monte pas ! dit-il à Zénaïde Antonovna.

— Vous attendez une lettre ? répliqua-t-elle avec une aigre ironie.

— Peut-être...

— Tiens, tiens ! Et de qui ?

— Ça ne vous regarde pas !

On sonna à la porte. Il tapota nerveusement les

accoudoirs de son fauteuil. Elle se rendit dans le vestibule sans se presser, comme pour l'exaspérer davantage par la lenteur de ses mouvements. On sonna une seconde fois. Il cria :

— Eh bien ! Vite, voyons !...

Elle reparut, tenant à la main les deux journaux auxquels ses fils l'avaient abonné : *Le Figaro* et *La Pensée russe.* Il feignit l'étonnement :

— C'est tout ?

Et, mettant *Le Figaro* de côté (il n'en survolait jamais que les titres), il ouvrit *La Pensée russe* avec gourmandise. Ce journal de l'émigration, entièrement rédigé en russe, lui plaisait par son hostilité déclarée au régime soviétique. La vie de la planète y était analysée et commentée selon son cœur. L'exil y recevait ses lettres de noblesse et, en quelque sorte, sa justification. On ne se sentait plus seul, abandonné de tous, dans un monde inexorablement français. Igor Dimitrievitch lisait cette feuille de la première à la dernière ligne, en s'attardant aux annonces nécrologiques. Parfois un nom familier le plongeait dans une méditation où la curiosité se teintait de mélancolie. Il revenait en arrière, recensait des parentés, s'adonnait aux délices de l'acrobatie généalogique. Ce Savéline n'était-il pas le fils d'un Savéline qu'il avait bien connu à Moscou ? Et qui donc était cette Valérie Ivanovna Danilov qui venait de s'éteindre à quatre-vingt-sept ans ? N'avait-elle pas travaillé autrefois pour Hélène, comme couturière en chambre ? Il essaya de s'en souvenir, mais cet effort le fatigua. Le texte serré du journal dansait devant son nez. Il laissa retomber la feuille sur ses genoux et, pour se reposer les yeux, promena ses regards alentour. Sur le mur d'en face, s'alignaient des photographies de famille dans leurs cadres de bois verni : ses fils à l'âge des culottes courtes, son père grave, barbu et pensif, sa femme en 1913, à Moscou, avec ses cheveux bouffant sur les tempes, son chignon haut perché, son cou dégagé, ses épaules nues entourées d'un voile de gaze selon la mode du temps. Comme elle était belle alors et comme il était fier de se montrer avec elle au théâtre, au bal! Quand ils entraient dans la salle du restaurant Strélnia, tous les regards se tournaient vers Hélène, en hommage. Elle était coquette. Il en avait souffert. A plusieurs reprises même, il lui avait reproché sa complaisance envers certains de leurs amis. L'un d'eux surtout. Comment s'appelait-il déjà, celui-là ? Ah! oui, Stiopa... Un garçon blond et frisé qui se disait poète. Que restait-il aujourd'hui de tout ce tumulte de sentiments ? Que restait-il d'Hélène et de Stiopa ? Parmi ces images d'un autre temps, figurait une vue récente de la façade de la maison des Lébédev, à Moscou. La bâtisse, vaste et noble, abritait maintenant les bureaux d'un obscur ministère. Boris avait pris la photographie à la sauvette, lors d'un voyage qu'il avait effectué en Russie soviétique, avec Huguette, cinq ans auparavant. Igor Dimitrievitch avait bien tenté de s'opposer à cette visite en U.R.S.S. : il la jugeait scandaleuse pour un fils d'émigré. Mais Boris s'était entêté. Heureusement, il était revenu de son expédition déçu, inquiet et amer. Igor Dimitrievitch avait accueilli l'aveu de ce désenchantement comme une justification de sa propre attitude. Au-dessus des photographies de famille, il y avait la reproduction en couleurs d'un portrait de Nicolas II, le tsar martyr. Son regard compatissait à la désolation et à la révolte d'un de ses plus fidèles sujets en exil.

Le retour de Zénaïde Antonovna coupa la rêverie d'Igor Dimitrievitch. Elle venait le chercher après avoir fait, en un tournemain, le ménage de sa chambre. Il la suivit avec une docilité bougonne, se hissa dans son lit, le dos calé par les oreillers, et inspecta du regard les montres qui l'entouraient. Celle de sa table de chevet avait appartenu à son père. Posée sur une sorte de chevalet, elle était énorme, ronde, plate, avec un remontoir proéminent, des aiguilles robustes et des chiffres noirs si gros, sur fond blanc, qu'Igor Dimitrievitch pouvait presque lire l'heure sans lunettes. Il y avait aussi une montre sur la commode, deux autres sur le bureau à cylindre, parmi ses papiers, et, près du lit de sa femme, une cinquième, dite de voyage, dans son étui de cuir grenat. Il avait toujours eu la passion de l'heure. Ces cadrans, qui le cernaient de toutes parts, lui donnaient une impression d'exactitude et, en quelque sorte, de sécurité. Il réglait les mécanismes chaque matin, avec un soin méticuleux. Cette fois, deux de ses pendulettes retardaient : une de cinq minutes, l'autre de trois. Il se les fit apporter et les remit à l'heure en grognant :

— Vous y avez encore touché en faisant le ménage !

— Absolument pas ! s'écria Zénaïde Antonovna. Vous m'accusez toujours ! Mais je ne m'en occupe jamais, moi, de vos pendules !

Persuadé qu'elle était de mauvaise foi, il renonça néanmoins à poursuivre la discussion.

— Remettez-les en place, dit-il. Pas comme ça ! Doucement !

Elle s'exécuta en grommelant entre ses dents. Un mot le frappa dans ce baragouin. Il avait entendu « maniaque ». Mais il n'osa lui demander de répéter la phrase et se contenta de s'écrier avec une colère vague :

— C'est insensé ! Tout va de travers, ici !

A présent, les cinq pendulettes marquaient dix heures quarante-sept. Igor Dimitrievitch se calma. Zénaïde Antonovna avait aéré la chambre. Une fraîcheur pluvieuse flottait entre les murs. Cela sentait l'espace libre, la rue. La journée s'annonçait aussi plate et grise que la veille. Elle serait longue à avaler. Si seulement ses fils venaient le voir... Il songea un instant à un dîner avec eux : du bortsch, des pirojki, des côtelettes Pojarski, des cornichons malossol, un petit verre de vodka. Une fringale joyeuse lui chatouilla l'estomac. Depuis combien de temps avait-il renoncé à toutes ces délices ? Le docteur Philippov avait recommandé un régime très strict. Cela n'empêchait pas une exception par-ci par-là. Zénaïde Antonovna était fine cuisinière. Elle avait repris les meilleures recettes d'Hélène. Oui, oui, un dîner russe, des côtelettes Pojarski, ou un cochon de lait au raifort. Il ravala sa salive, appela Zénaïde Antonovna, lui fit part de son projet. Elle refusa de l'écouter. Consciente de ses devoirs, elle s'en tenait aux instructions du médecin : grillades et légumes cuits à l'eau. Il retomba dans une torpeur navrée.

A midi, le téléphone sonna. Igor Dimitrievitch tressaillit de joie. Enfin, l'inattendu faisait irruption dans sa vie. Allongeant la main vers la table de chevet, il décrocha le récepteur. C'était Nicolas. Zénaïde Antonovna restait plantée près du lit, les bras croisés, pour écouter la conversation. Elle était d'une indiscrétion révoltante. Agacé, Igor Dimitrievitch lui fit signe de se retirer. Certes, il n'avait pas de secrets pour elle. Mais c'était une question de principe. D'abord, il espéra que son fils lui annoncerait sa visite pour la fin de la journée, après le bureau. Il n'osait le lui demander par crainte de se montrer importun. Son grand âge le rendait humble devant ceux qui, là-bas, dans la ville, menaient une existence remuante et efficace. La voix de Nicolas était jeune, sonore. Il n'avait que cinquante-neuf ans. Il parlait correctement le russe, avec, çà et là, quelques tournures françaises. D'abord il interrogea son père, avec sollicitude, sur sa santé.

— Je vais assez bien, dit Igor Dimitrievitch. Mais je m'ennuie. C'est long, la vieillesse !

Et soudain, il se hasarda :

— Te verrai-je, ce soir ?

— Malheureusement non, dit Nicolas. J'ai du travail par-dessus la tête !

— Alors quand ?

— Je te téléphonerai, papa. Pour l'instant, soigne-toi bien, sois raisonnable.

Après avoir raccroché l'appareil, Igor Dimitrievitch se sentit plus seul qu'avant d'avoir entendu son fils. Il reprit le journal russe et se replongea dans la lecture des annonces nécrologiques. Zénaïde Antonovna rentra dans la chambre. Il fit mine de ne pas remarquer sa présence.

2

La table de la salle à manger était déjà servie pour le thé, avec la nappe brodée à la main, jadis, par Hélène, les tasses de fine porcelaine, cadeau de Nicolas et Boris pour les noces d'or de leurs parents, les serviettes de dentelle, le samovar de cuivre à la panse rebondie et les petits sablés confectionnés, le matin même, par Zénaïde Antonovna. Assis dans son fauteuil habituel, Igor Dimitrievitch inspectait le décor d'un œil sévère. Il avait surveillé lui-même les préparatifs. Depuis quatre heures de l'après-midi, il était sur le pied de guerre. Boris et Huguette avaient annoncé leur visite pour le samedi à cinq heures. Peut-être Nicolas se joindrait-il à eux. Chaque fois qu'il pouvait réunir ses fils à la maison, Igor Dimitrievitch éprouvait la satisfaction patriarcale d'un chef de tribu. Il était fier d'eux parce qu'ils étaient de belle prestance, dans l'âge mûr, et qu'ils avaient, à force de travail, conquis des situations enviables dans un pays qui, somme toute, n'était pas le leur. Certes, ils s'étaient fait naturaliser, l'un et l'autre, peu avant la guerre. Mais cela n'ôtait rien à leur mérite. Igor Dimitrievitch avait souffert, à l'époque, de ce changement de nationalité comme d'une trahison pour convenances personnelles. A présent, il n'y pensait plus : ce qui compte, c'est ce qui est inscrit non sur les papiers d'identité d'un homme mais dans son cœur. Au surplus, ses deux fils avaient épousé des Françaises. Hélène et lui avaient regretté ce choix, sur le moment. Puis ils s'étaient résignés à cette nouvelle emprise de la France sur le clan Lébédev. Force leur avait été de parler français à table, en famille. Il en serait de même aujourd'hui. Cela demandait, chaque fois, à Igor Dimitrievitch une concentration d'esprit qui le fatiguait.

Quand l'horloge à balancier de cuivre qui se dressait entre le buffet et la fenêtre de la salle à manger sonna cinq heures, il commença à ne plus contenir son impatience. Pourquoi n'étaient-ils pas encore là ? N'avaient-ils pas oublié le rendez-vous ? Dans sa panique, il songea à téléphoner chez eux. Puis il se raisonna. Mais sa langue, agitée d'un léger tremblement, butait contre son dentier. Il pianotait des dix doigts sur les accoudoirs du fauteuil. La sérénité de Zénaïde Antonovna, qui circulait, boudinée dans sa robe de satin bleu, autour de la table, achevait de l'exaspérer. Quelle idée de s'être mise sur son trente et un ? On eût dit que c'était elle qui recevait ses fils. Il est vrai que lui-même s'était habillé avec une coquetterie inhabituelle : pantalon gris ardoise et veste d'intérieur en velours grenat. Le tout, usé mais brossé avec soin, datait de l'époque où Hélène l'entraînait dans les grands magasins pour compléter sa garde-robe. Ses chemises, devenues trop grandes, bâillaient autour de son cou décharné. Il avait eu beaucoup de mal à nouer sa cravate. Zénaïde Antonovna l'avait aidé à se coiffer. Suprême raffinement, il s'était passé les mains à l'eau de Cologne. Soudain, n'y tenant plus, il murmura :

— C'est bien aujourd'hui qu'ils doivent venir ?

— Mais oui, Igor Dimitrievitch, dit Zénaïde Antonovna. Ne vous inquiétez donc pas. Ils sont un peu en retard, voilà tout.

— Je n'étais jamais en retard quand j'allais voir mon père, grommela-t-il.

Au même instant, on sonna à la porte. Pendant que Zénaïde Antonovna allait ouvrir, Igor Dimitrievitch voulut se mettre debout pour accueillir ses visiteurs. Mais ses jambes se dérobèrent sous lui et il faillit tomber. Il se rattrapa juste à temps au bord de la table et sourit à sa belle-fille qui entrait. Chaque fois qu'il la voyait, il était frappé par sa beauté blonde, pulpeuse, sculpturale. Il était secrètement flatté que son fils eût séduit cette statue au sourire éclatant. Elle avait fait beaucoup de sport dans sa prime jeunesse. Il lui en restait une allure aisée, royale, qui, pensait Igor Dimitrievitch, lui donnait « l'air russe », bien qu'elle fût née dans le Périgord. Derrière elle, Boris, pourtant haut de taille et large d'épaules, paraissait presque fluet. Après les baisers rituels, on prit place autour de la table et Zénaïde Antonovna servit le thé.

L'air sentait bon la pâtisserie fraîche, les meubles luisaient sous la lumière blanche du lustre central, toutes les photographies de famille, sur les murs, étaient de la fête. Pour concilier son rôle d'employée avec celui d'hôtesse, Zénaïde Antonovna s'était assise de biais, sur une fesse, et se levait à tout bout de champ. Ainsi était-elle à la fois présente et de passage. Igor Dimitrievitch reconnut, à part soi, qu'elle ne pouvait faire autrement. D'ailleurs, c'était à elle que Boris et Huguette s'adressaient de préférence pour avoir des nouvelles de la maison. Elle parlait de la santé de son « patient » avec une compétence que le docteur Philippov n'eût pas désavouée. A l'entendre, tout allait pour le mieux. La dernière médication en date donnait d'excellents résultats. Ce n'était pas l'avis d'Igor Dimitrievitch qui estimait qu'il dormait moins bien depuis une semaine et qu'il avait une sensation de picotement dans les extrémités. Il le dit mais personne n'y prit garde. Tout le monde voulait le croire bien portant pour goûter sans remords le plaisir de cette réunion familiale. Déjà Boris, changeant de sujet, évoquait d'obscures intrigues de bureau. Quelqu'un lui avait barré la route. Mais il l'avait « neutralisé ». A présent, la voie était libre. Igor Dimitrievitch feignait de s'intéresser à ce récit auquel il ne comprenait rien. Il ne suivit pas davantage son fils lorsque celui-ci, qui jouait volontiers à la Bourse, le prit à témoin de ses dernières spéculations.

— Tu sais, dit Igor Dimitrievitch, de mon temps, en Russie, la Bourse était une occupation sûre et rentable. Nous connaissions bien les affaires sur

lesquelles nous misions. Ici, c'est différent... Tout
bouge... Rien n'est solide... Il faut faire très attention... Ne pas prendre trop de risques...

— Ne vous inquiétez pas, père, dit Huguette.
Boris est la prudence même. Et il est très bien
conseillé. Tenez, je vous ai apporté des photos de
« La Bergerie »...

— De quelle bergerie veux-tu parler ? demanda-
t-il.

— Mais, père, vous savez bien...

Igor Dimitrievitch, un instant désorienté, se rappela qu'il s'agissait d'une ancienne ferme que le
couple avait achetée, le mois précédent, aux environs de Rambouillet, avec l'intention de la restau-
rer pour en faire une « résidence secondaire ».
Encore une folie qu'il ne pouvait approuver ! Cette
maison de campagne éloignerait définitivement les
enfants de lui pendant les week-ends. Il regardait
avec consternation les photographies que lui montrait Huguette. Toutes ces pierres moussues, ces
broussailles, y avait-il là matière à s'extasier ? Pour
sa part, il aimait les bâtisses neuves, vastes, solides,
claires. Comme sa villa des environs de Moscou.
Comme celle de Kislovodsk, dans le Caucase. Un
afflux de tristesse lui vint à évoquer ces maisons
d'autrefois qui étaient autant de tombes abandon-
nées. A présent, Huguette tirait de son volumineux
sac à main des plans, des croquis.

— C'est elle qui a tout combiné, dit Boris avec un
élan de fierté conjugale. Le maçon et le menuisier
qui sont du pays, ont très bien compris ce que veut
Huguette. D'ailleurs, il n'y aura pas beaucoup de
travaux...

— Comment vous arrangerez-vous pour les sur-
veiller ? demanda Igor Dimitrievitch.

— Huguette fera un saut là-bas, plusieurs fois dans la semaine. En voiture, c'est tout près !

— Tu irais seule, Huguette ? balbutia Igor Dimitrievitch, subitement alarmé.

— Mais oui, père.

— Ce n'est pas imprudent ?

— Pourquoi ?

— Je ne sais pas, moi, la route, le chantier avec ce maçon, ce menuisier...

Elle rit. Igor Dimitrievitch se renfrogna. Il s'étonnait que sa bru pût ainsi prendre le volant, courir en province, commander à des ouvriers. Cela ne correspondait pas à l'image qu'il se faisait d'une femme. Devant tant de dynamisme, il était partagé entre l'admiration et le désenchantement, l'approbation raisonnable et une sourde critique. Il se dit que, plus jeune, il n'eût jamais pu épouser une Huguette. Sa beauté même l'eût effrayé. Ce qu'il avait aimé en Hélène, c'était sa faiblesse, sa grâce, sa coquetterie, la protection qu'il lui apportait.

— Moi, je trouve cette ferme très jolie, dit Zénaïde Antonovna en ramassant les photos sur la table.

— Vous verrez quand nous l'aurons aménagée ! dit Huguette.

— Et combien avez-vous de terre ?

— Deux mille mètres carrés.

Igor Dimitrievitch essaya de transposer de tête les mètres carrés en unités de mesure russes, se trompa, recommença, se rappela l'énorme superficie du parc de la maison de Kislovodsk, sourit aux misérables dimensions françaises et observa :

— Ce n'est pas beaucoup, deux mille mètres carrés !

— Peut-être, dit Huguette. Mais cela nous suffira largement. Nous y ferons un potager. Il y aura des légumes frais pour toute la famille. Regardez, père, ici ce sera le living, à côté la cuisine...

— Ça va coûter très cher, toutes ces transformations ! dit Igor Dimitrievitch.

Personne ne se soucia de sa remarque. Il en conclut avec amertume que son fils était un panier percé. Et, de fait, Boris était d'un tempérament plus gai, plus insouciant que son frère. Nicolas vivait dans l'obsession des catastrophes, Boris dans l'euphorie des changements à venir. Le doigt d'Huguette glissait sur le plan qu'elle avait tracé elle-même. Ses yeux brillaient d'une vanité créatrice :

— Au fond du jardin, le cellier agrandi deviendra la maison des enfants. Trois pièces. Ainsi, ils seront avec nous tout en conservant leur indépendance.

— Ils sont absolument ravis ! renchérit Boris. Je pense que nous pourrons emménager en juillet prochain !

Cet enthousiasme juvénile attrista Igor Dimitrievitch. Encore une joie familiale dont il serait exclu. Il voyait rarement ses petits-enfants. La fille de Boris et d'Huguette, appelée bizarrement Muriel (un prénom qui n'existait pas en russe), avait épousé un brave garçon, sous-chef de bureau à la préfecture de Paris. Du reste, elle était chef de bureau dans la même administration. Cette supériorité hiérarchique de la femme sur le mari paraissait à Igor Dimitrievitch une anomalie de la nature. Mais le monde moderne s'accommodait au mieux de ce renversement de valeurs. A présent, c'était le sexe dit faible qui chevauchait en tête. Muriel et Bernard s'entendaient bien, en apparence, malgré leur différence de grade au bureau. Ils s'étaient connus, onze ans plus tôt, dans la poussière des dossiers de l'Hôtel de Ville. Ils avaient eu une fille, Lorraine, âgée de neuf ans aujourd'hui. Et voici que

Muriel, après une longue période de stérilité, était de nouveau enceinte. On espérait un garçon. Surtout, disait-on, pour complaire à l'arrière-grand-père. Mais Igor Dimitrievitch ne se sentait pas concerné par l'événement. De toute façon, le nouveau-né ne s'appellerait pas Lébédev mais Delarue. L'accouchement était prévu dans trois mois. Muriel avait un ventre proéminent.

— Pourra-t-elle aller à la campagne dans son état ? demanda Igor Dimitrievitch.

— Bien sûr, dit Huguette. Ils ont une voiture très confortable.

Et elle ajouta avec entrain :

— Je compte bien que vous viendrez aussi, père !

— Tu n'y penses pas ! bredouilla-t-il. C'est... c'est impossible !

Au vrai, il ne se sentait en sécurité qu'entre les murs de son appartement. La seule idée de respirer l'air de l'extérieur lui donnait le vertige.

— Pourquoi pas ? dit Huguette. Nous demanderions l'autorisation du docteur Philippov. Nous vous prendrions le samedi matin. Nous ferions juste un aller et retour. Boris et moi aimerions tant vous montrer « La Bergerie » ! Zénaïde Antonovna pourrait vous accompagner.

— Non, dit-il avec force. Je ne veux pas !

Emoustillée par une invitation qui flattait son amour-propre, Zénaïde Antonovna insista :

— Oh ! Igor Dimitrievitch, je vous en prie ! Ce serait si bien ! Ça vous changerait les idées !

— Je vous répète qu'il n'en est pas question ! dit-il.

— De quoi as-tu peur, papa ? demanda Boris.

— De rien.

— Je te promets de conduire doucement.

— Je ne bougerai pas d'ici !

— Moi qui voulais vous réserver une chambre à côté de la nôtre, à « La Bergerie » ! soupira Huguette.

Il baissa la tête et grommela :

— J'ai quatre-vingt-treize ans. Je veux qu'on me laisse tranquille.

Subitement, il détestait cette « Bergerie » qui accaparait tout l'intérêt de ses enfants. Dans leur égoïsme, ils n'auraient pas hésité à lui imposer une fatigue dangereuse pour le traîner sur les lieux de leur nouvelle lubie. Quand donc comprendrait-on qu'il n'appartenait plus tout à fait au monde des vivants ? Devant son obstination, Boris et Huguette capitulèrent. Zénaïde Antonovna, la bouche pincée, regardait Igor Dimitrievitch de biais, avec reproche, comme si, par méchanceté, il l'avait privée d'une fête à laquelle elle avait droit. Le thé refroidissait dans les tasses. Il ne restait plus que quatre petits sablés. Igor Dimitrievitch allongea la main pour en prendre un.

— C'est trop pour vous, lui dit Zénaïde Antonovna en mettant le plat hors de sa portée. Vous en avez déjà mangé cinq.

— Non, trois, dit-il.

— Cinq. J'ai compté.

Elle le clouait du regard. Devant ses enfants. C'était un comble. Il voulut crier, taper du poing sur la table, mais tout son corps se dénouait. Il n'était plus qu'une gélatine d'os et de nerfs, qui tremblait dans un costume trop large. Une envie de pleurer lui obstruait la gorge.

— C'est mauvais pour lui de manger tant, expliquait Zénaïde Antonovna à Huguette. Je suis obligée d'être sévère pour la nourriture. Le docteur Philippov me l'a recommandé.

— Pour une fois ! dit Huguette, d'un ton enjoué.

Devant cette supplication déférente, Zénaïde Antonovna céda. Ce fut alors Igor Dimitrievitch qui changea d'attitude. A présent qu'on l'autorisait à prendre encore un sablé, il n'en voulait plus. Il punissait les autres en se punissant.

— Je n'ai pas faim, dit-il.

Il espérait provoquer un redoublement de prières et fut déçu par l'acquiescement général. Son fils et sa bru se chargèrent de vider le plat.

— J'en ai fait trop peu ! se désola Zénaïde Antonovna.

Pour la dixième fois, Huguette lui demanda la recette de cette friandise et Zénaïde Antonovna la détailla point par point. Elle parlait un français si rocailleux que même les oreilles d'Igor Dimitrievitch en étaient blessées.

— Vous n'avez rien laissé pour Nicolas, dit-il en considérant la grande conque de porcelaine où ne gisaient plus que des miettes.

— Il avait l'intention de venir ? demanda Boris.

— Je ne sais pas, murmura Igor Dimitrievitch. Il m'avait dit au téléphone que peut-être...

— Mais non ! trancha Zénaïde Antonovna. C'est pour samedi dernier qu'il avait dit peut-être... Cette fois-ci, il a téléphoné qu'il allait passer le week-end à Deauville.

— Avec qui ? interrogea Huguette, l'œil allumé de curiosité féminine.

— Tu ne t'en doutes pas ? dit Boris.

C'était un sujet de discussion dans la famille. Après trente-deux ans de mariage, Nicolas était en instance de divorce. Pourtant Joséphine n'avait rien à se reprocher. A cinquante-neuf ans, il s'était lassé d'elle pour s'enticher d'une jeunesse de quarante ans à peine. Une certaine Martine, dont on ne savait pas grand-chose. Boris, qui l'avait rencontrée, disait qu'elle était jolie, mais d'un caractère fermé, peu bavarde et probablement intéressée.

— De toute façon, la différence d'âge est rédhibitoire, dit Huguette. J'espère qu'il n'a pas l'intention de l'épouser !

— Non, non, assura Boris. C'est un collage passager. Je connais bien Nicolas. Il se refroidit aussi vite qu'il s'enflamme !

— Il reviendra à sa femme, décréta Zénaïde Antonovna. Beaucoup de gens se remettent ensemble après avoir divorcé.

Igor Dimitrievitch fut choqué par l'intervention d'une simple employée dans un débat aussi intime. Décidément, Zénaïde Antonovna se croyait tout permis. Néanmoins, il n'eut pas le courage de la rabrouer comme elle le méritait. D'autant que, de leur côté, Huguette et Boris, au lieu de la remettre à sa place, l'encourageaient à poursuivre. Tous trois commencèrent à parler avec animation de la vie sentimentale de Nicolas. Ces histoires de coucheries étaient si éloignées d'Igor Dimitrievitch qu'il éprouva soudain une grande faiblesse. Réfugié dans l'indifférence, il condamnait de haut ces gens valides et stupides qui se laissaient aller aux entraînements de la chair. Leurs appétits insultaient sa sérénité proche de la mort. Après avoir attendu la visite de son fils et de sa bru avec impatience, il s'ennuyait en leur compagnie. Il les aimait bien mais ne les entendait même plus. Et il n'avait rien à leur dire. Les reins moulus par la position assise, il rêvait de retourner dans son lit. Qu'ils s'en aillent vite ! Qu'ils le rendent à ses habitudes ! En tête à tête avec Zénaïde Antonovna, il retrouverait enfin sa raison d'être. Mais Huguette et Boris n'avaient pas l'air pressés de partir. Ils étaient sûrs de le combler par leur bavardage. A plusieurs reprises, Igor Dimitrievitch regarda sa montre à son poignet. Personne n'y prit garde. Ce n'était pas lui que le couple était venu voir, mais Zénaïde Antonovna.

A sept heures enfin, Huguette s'agita : ils devaient dîner, ce soir, chez des amis. Le temps de rentrer, de se changer... Ils se levèrent, embrassèrent Igor Dimitrievitch et passèrent dans le vestibule. Zénaïde Antonovna les y accompagna, tandis qu'Igor Dimitrievitch, saoul de paroles, demeurait assis à table. Par la porte ouverte sur l'entrée, il les entendait qui papotaient encore. A présent, il était question entre eux du chien d'Huguette et de Boris, un pékinois nommé Tang, qui supportait mal de rester seul à la maison.

— Pourquoi ne l'avez-vous pas amené ? demanda Zénaïde Antonovna.

— J'ai eu peur qu'il ne fatigue papa, dit Boris.

Du fond de son fauteuil, Igor Dimitrievitch protesta humblement. En vérité, il n'aimait pas ce Tang, qui était beau, mais peu sociable et aboyeur. Lui-même n'avait jamais eu de chien. Il s'étonnait de la passion de son fils et de sa bru pour les bêtes : en plus de Tang, ils avaient deux chats de gouttière.

— La prochaine fois, vous viendrez avec Tang, insista Zénaïde Antonovna.

De quoi se mêlait-elle ?

— C'est promis, dit Huguette.

Quand la porte se referma enfin sur les visiteurs, Igor Dimitrievitch respira de toute la poitrine. Et soudain il se rappela qu'il avait eu, lui aussi, un chien. En Russie. Un saint-bernard blanc et roux, à poils longs. Son nom lui revint : Bary. Il était toujours à l'attache dans la cour. Mais, après la prise du pouvoir par les bolcheviks, le jour où toute la famille avait dû quitter Moscou pour échapper aux arrestations arbitraires, Bary avait cassé sa corde, s'était faufilé, pour la première fois, dans la maison et, se dressant de toute sa taille devant son maître, avait posé ses deux énormes pattes sur ses épaules. Ce souvenir frappa Igor Dimitrievitch avec autant de force que s'il datait de la veille. Il revoyait la lourde gueule du chien qui le léchait en lui soufflant une haleine chaude, le grand salon avec ses meubles recouverts de housses, les valises dans l'entrée, Hélène, fine et pâle sous sa toque de fourrure. Le tragique de la situation lui serra le cœur. On était en pleine guerre civile. C'était autrement important que les aventures amoureuses de ses fils. D'ailleurs, ils avaient six et huit ans. Ils portaient des costumes marins avec un petit sifflet en sautoir. Il voulut raconter l'incident du saint-bernard à Zénaïde Antonovna. Mais, dès les premiers mots, elle l'arrêta :

— Vous êtes resté trop longtemps debout, Igor Dimitrievitch. Vous allez vite vous coucher. Ce soir, je vous servirai un bouillon.

Elle avait une telle autorité dans la voix qu'il ne songea même pas à la contredire. Du reste, il était heureux de se remettre au lit. Cette épreuve l'avait épuisé. Mais il savait que, demain, il se réveillerait dans l'attente d'une nouvelle visite. Ainsi allait-il, d'espoir en déception, sur une route dont l'extrémité se perdait dans la brume.

3

Depuis trois jours le poste de télévision était devenu fou. Impossible d'obtenir la moindre image sur l'écran parcouru de zébrures étincelantes. Sans doute Zénaïde Antonovna avait-elle tourné les boutons dans le mauvais sens en faisant le ménage. Comme ni elle ni Igor Dimitrievitch ne savaient régler l'appareil, il fallait attendre la visite de l'un des fils pour remédier à la panne. En vérité, cette situation n'affectait guère Igor Dimitrievitch. C'étaient Boris et Nicolas qui avaient exigé qu'on installât un téléviseur dans sa chambre. Ils le lui avaient offert pour ses quatre-vingt-dix ans, afin, disaient-ils, qu'il se tînt au courant des événements du monde. Mais ces silhouettes en noir et blanc qui défilaient devant ses yeux, ces déclarations d'hommes politiques filmés en gros plan lui portaient sur le cœur. Bizarrement, il n'aimait que la retransmission des matches de catch. Or Zénaïde Antonovna détestait la violence. Encore un sujet de discussion entre eux. Depuis que le poste était déréglé, ils jouaient à la belote, pour passer le temps, avant d'aller se coucher chacun dans sa chambre. C'est elle qui avait introduit ce jeu français dans la maison. Ils y jouaient jadis à trois, avec Hélène. Aujourd'hui, il devait se contenter de cette seule partenaire subalterne. Elle prononçait avec un fort accent russe : « Biliote i ribiliote. » La plupart du temps, elle gagnait effrontément. Il la soupçonnait de tricher. Mais il n'osait le lui dire. Il attendait de la prendre sur le fait. D'autres fois, ils étalaient des patiences, assis face à face dans la salle à manger. La patience préférée d'Igor Dimitrievitch était la « Kossynka » (le fichu), dont sa femme lui avait appris toutes les subtilités. Ce soir, la disposition des cartes, rangées devant lui en triangle pour figurer une fanchon, était particulièrement diabolique. L'esprit à la torture, il cherchait en vain une échappatoire. Il allait s'avouer vaincu lorsqu'on sonna à la porte.

Igor Dimitrievitch tressaillit. Il avait gardé un souvenir si tragique des perquisitions de nuit, en Russie, à l'époque de la révolution, que, même en France, passé huit heures du soir, toute visite imprévue lui paraissait suspecte. Il regarda Zénaïde Antonovna comme pour lui demander qui pouvait bien venir ainsi, après le dîner, sans s'être annoncé par téléphone. Elle semblait aussi surprise que lui.

— N'ouvrez pas ! chuchota-t-il.

Mais elle s'était déjà levée et passait, en boitillant, dans le vestibule. Il l'entendit parlementer à travers la porte d'entrée. Puis il y eut une exclamation étouffée, un bruit de pas, et, avec stupéfaction, avec angoisse, Igor Dimitrievitch vit surgir Joséphine, la femme répudiée de Nicolas. Que venait-elle faire chez lui ? Devait-il l'accueillir froidement, comme une étrangère, parce qu'elle n'appartenait presque plus à la famille, ou avec bienveillance, parce qu'elle y avait tenu naguère une grande place ? En outre, il regrettait de se montrer à elle dans sa vieille robe de chambre cachou (il s'était déjà préparé pour se mettre au lit) et les pieds chaussés de pantoufles. Il ne l'avait plus revue depuis le début de la procédure de divorce. Elle lui parut plus sèche, plus tendineuse que dans son souvenir. A peine maquillée, le regard noir et dilaté, elle émergeait d'un naufrage. Pourtant elle ne manquait pas de charme dans sa jeunesse. Etait-ce sa rupture avec Nicolas qui l'avait à ce point marquée ?

Elle s'avança vers Igor Dimitrievitch et tendit le cou. Il ne put refuser de l'embrasser. Par trois fois. Comme d'habitude. Mais ce baiser était une trahison. Elle s'assit à table et murmura :

— Je me suis permis de venir parce que je suis à bout, père ! C'est trop dur de ne plus vous voir après tant d'années d'intimité, d'affection...

Elle l'appelait « père », comme autrefois. Il en fut troublé. Le chemin se rétrécissait devant lui. Pris au dépourvu, il bredouilla :

— Tu as bien fait...

— J'espère que vous me gardez une place dans votre cœur, malgré tout...

— Bien sûr !

— Vous faites une patience ?

— Oui, tu vois, avant d'aller me coucher.

Joséphine parcourut la pièce d'un regard mélancolique et soupira :

— Rien n'a changé, ici... Vous-même, vous n'avez pas changé... Vous allez bien ?

Zénaïde Antonovna répondit pour lui :

— Très bien.

Au lieu de le laisser seul avec son ex-belle-fille, elle avait repris sa place à la table. Pour une fois, il lui sut gré d'être à ses côtés dans un moment aussi critique. Il comptait sur elle pour arrondir les angles.

— Et vous-même, comment allez-vous ? demanda Zénaïde Antonovna du ton le plus banal.

— Oh ! moi !... gémit Joséphine.

Et une eau trouble monta à ses yeux. C'est ce qu'Igor Dimitrievitch redoutait le plus. Ne sachant s'il devait la consoler ou feindre de ne rien voir, il se contenta de marmonner :

— Oui, oui, ma petite... tout cela est bien triste !

— Après trente-deux ans de mariage ! reprit Joséphine. J'ai beau m'interroger, je ne comprends pas ce qui lui a pris : un coup de folie !

— C'est exactement ce que je disais, hier encore, à Igor Dimitrievitch ! affirma Zénaïde Antonovna.

La conversation s'engageant sur une pente dangereuse, Igor Dimitrievitch voulut ralentir le mouvement.

— Dans ces affaires-là, les parents sont mauvais juges, dit-il. Quels que soient les motifs de Nicolas, et je ne veux pas les connaître, il a pris les torts à sa charge. C'est l'essentiel !

— Je ne trouve pas !

— Mais si, mais si... Vous traversez les moments les plus pénibles d'une séparation : les avocats, les échanges de papiers officiels, toute cette vilaine cuisine... Il n'y en a plus pour longtemps...

— Dans deux mois, je pense, tout sera fini.

— Eh bien, tu vois ! Après, ça ira mieux. Nicolas a tout prévu, j'en suis sûr. Tu ne manqueras de rien. Tu referas ta vie !

— A mon âge !

— Mais oui, mais oui...

Joséphine secoua la tête :

— Ce n'est pas si simple, père. Je n'ai rien à me reprocher, moi ! Evidemment, je ne lui ai pas donné d'enfants !

— Il n'en a jamais voulu, observa Zénaïde Antonovna.

Une moue de dépit médiocre, de haine impuissante déforma le bas du visage de Joséphine.

— S'il n'y avait pas eu cette fille !... dit-elle.

— Il y en aurait eu une autre, dit Zénaïde

Antonovna avec autorité. Nicolas Igorovitch est pire qu'un papillon !

— C'est vrai, reconnut Joséphine. Déjà dans le passé, j'ai eu à souffrir de sa légèreté. Mais il s'agissait d'aventures sans lendemain. Cette fois, il a perdu la tête. Il ne se rend pas compte du ridicule de sa liaison avec une créature qui pourrait être sa fille. Il se pavane à ses côtés comme un vieux coq déplumé. Il refuse de croire que cette petite garce n'en veut qu'à son argent ! C'est elle qui l'a poussé au divorce ! Elle, elle, elle !...

Les récriminations prenaient un tour vulgaire qui gênait Igor Dimitrievitch. Mais pouvait-on demander à une épouse bafouée d'accepter sa disgrâce avec élégance ? Elle avait ravalé ses larmes et ne gardait plus dans les yeux qu'une fureur possessive, une soif de vengeance mêlée d'humilité.

— Vous l'avez vue ? dit-elle soudain à Igor Dimitrievitch en se penchant par-dessus la table.

— Non.

— Il essaiera de vous la présenter !

— Je ne recevrai jamais la maîtresse de mon fils, répliqua-t-il avec superbe.

En cet instant, il était entièrement acquis à son ex-belle-fille. Elle le remercia d'un regard humide et dit :

— Je crois, père, que vous êtes la seule personne au monde dont l'opinion compte pour Nicolas. Vous devriez lui parler.

— Je l'ai déjà fait.

— Essayez encore. Il n'est pas trop tard. Expliquez-lui qu'il est en train de ruiner sa vie, ma vie, pour un moment d'égarement. Secouez-le, réveillez-le !...

Devant une attaque aussi directe, Igor Dimitrievitch se rétracta. Sa générosité première se transformait peu à peu en méfiance. Tout en donnant raison à cette femme éplorée, il éprouvait de nouveau la peur frileuse des complications. Joséphine le tirait par la manche au plus épais de la mêlée conjugale, alors qu'il aspirait à se détacher de tout, à s'éloigner de tout. Ne comprenait-elle pas qu'il ne pouvait la défendre sans mécontenter son fils ? Par son insistance, elle le plaçait dans une situation fausse. Elle le dérangeait dans l'état de quiétude morale auquel son grand âge lui donnait droit. Il lui en voulut de sa visite. Puis le souvenir des années heureuses lui revint en mémoire. Il revit les deux couples assis à la table familiale, du vivant d'Hélène. Au menu, du bortsch, une koulibiak aux choux... On mangeait bien, on buvait sec. Les femmes babillaient comme des mésanges au lever du jour. Les hommes parlaient gravement affaires, politique. La cohésion du clan était si parfaite qu'on eût dit un bloc d'amitié, de traditions et d'appétits à l'épreuve des ans. Emu par cette réminiscence, Igor Dimitrievitch prit délicatement la main de Joséphine, la porta à ses lèvres et dit :

— C'est bon, je lui parlerai.

— Merci, père ! s'écria Joséphine.

Et, se levant de table, elle l'embrassa. Il reçut avec gêne ce baiser inactuel. Au terme d'une conversation difficile, il s'empêtrait dans les années. Hier et aujourd'hui échangeaient leurs visages. Soudain, une idée saugrenue lui traversa l'esprit. Il s'entendit murmurer :

— Peut-être saurais-tu régler mon poste de télévision ? Je suis un peu perdu dans tous ces boutons.

— Non, père, dit Joséphine. Je ne suis guère qualifiée. Demandez à Nicolas.

Elle avait un air pincé qui accusait sa maigreur.

Zénaïde Antonovna aussi paraissait mécontente. « Qu'est-ce qui m'a pris ? » pensa Igor Dimitrievitch. La défection de son téléviseur le préoccupait autant que le désespoir de Joséphine. Certes il n'aimait pas regarder le petit écran, mais il ne pouvait supporter que l'appareil fût en panne. De nouveau, Joséphine se tourna vers lui avec un regard suppliant.

— Alors, c'est promis, père ? dit-elle.
— Quoi ?
— Vous lui parlerez ?
— Oui, oui...
— Si vous pouviez réussir !

Elle renifla un sanglot. Il avait envie de pleurer lui-même. Mais il ne savait pas pourquoi.

Quand elle fut partie, il dit à Zénaïde Antonovna :

— C'est dommage qu'elle soit venue !
— Pourquoi ?
— Nous étions plus tranquilles avant.
— Vous parlerez à Nicolas Igorovitch ?
— Je verrai...
— Vous avez promis.
— Je vous dis que je verrai. Je suis fatigué.

Il craignait qu'elle ne lui reprochât son intervention à propos du téléviseur. Ce fut seulement après l'avoir mis au lit qu'elle y fit allusion. En lui donnant ses gouttes pour la nuit, elle dit d'un ton acide :

— Vous n'auriez pas dû, pour le poste...

Il éclata :

— Et pourquoi pas ?
— Ce n'était guère le moment !
— Avec vous, ce n'est jamais le moment ! Elle a très bien compris ! Vous m'embêtez !

Il s'échauffait, le feu aux joues, le cœur en

désordre. Redoutant une crise, Zénaïde Antonovna battit en retraite. Resté seul, il mit longtemps à se calmer, étendu sur le dos, la respiration haletante. Trop d'événements s'étaient produits dans la soirée pour qu'il pût les digérer à l'aise. Devant lui, sur un guéridon, le poste de télévision, à l'écran mort, se dressait comme un reproche. Ses montres l'entouraient de leur tic-tac innombrable. La flamme de la veilleuse éclairait faiblement les dorures de l'icône. Couchée dans sa chambre, Zénaïde Antonovna demanda par la porte entrebâillée :

— Vous ne dormez pas, Igor Dimitrievitch ?

— Non.

— Essayez.

— Non.

— Voulez-vous que je vous fasse une tisane ?

— Non.

Il avait envie d'être désagréable. Elle ne lui posa plus de questions. Bientôt, il l'entendit ronfler. Le bruit de cette respiration engorgée emplissait la nuit. Pourquoi fallait-il qu'il supportât cette femme ? Autant le sommeil d'Hélène, autrefois, était gracieux, parfumé, sensuel, autant celui de Zénaïde Antonovna apparaissait comme une sorte de lâchez-tout bestial. Il songea à se lever pour faire quelques pas dans l'appartement. Puis soudain ses pensées basculèrent dans un néant brumeux. Il s'assoupit en rêvant à une grande étendue de neige. Comme chaque fois qu'il retournait en Russie, il se sentit alerte et heureux.

*

— Tu n'avais pas à la recevoir ! cria Nicolas.

La violence de cette réaction ébranla Igor Dimitrievitch jusqu'aux os. Pourtant il s'était contenté de dire à son fils que Joséphine était passée le voir, la veille. Pas un mot sur les reproches qu'elle avait formulés ni sur la promesse qu'il lui avait faite de soutenir sa cause. Mais Nicolas n'était pas dupe.

— Je parie qu'elle a vidé son sac devant toi ! reprit-il.

— Non, non, dit Igor Dimitrievitch précipitamment.

Il souffrait de mentir ainsi devant son fils. La colère de Nicolas lui ôtait tous ses moyens. Il regardait cet homme haut et mince, à l'œil ardent, à la joue bleue, à la pomme d'Adam saillante, et se disait que, quelques années plus tôt, il ne lui eût pas permis de hausser le ton. Son grand âge le mettait à la merci des brailleurs. De la peau aux cheveux, tout, en Nicolas, était sombre. On eût dit qu'il charriait du charbon dans ses veines.

— De quoi avez-vous parlé ? demanda-t-il.

— De tout et de rien, répondit Zénaïde Antonovna.

Nicolas la foudroya du regard et dit :

— Voulez-vous nous laisser seuls, je vous prie ?

Elle eut un haut-le-corps et se retira, outragée. Igor Dimitrievitch craignit qu'elle ne lui fît supporter plus tard le poids de cette avanie. Il avait tellement besoin d'elle pour son bien-être quotidien que, tout en la détestant, il redoutait ses humeurs. Resté seul avec Nicolas, il se sentit nu dans son fauteuil de vieillard. Tous ses nerfs tremblaient dans l'attente du choc final.

— Je sais ce que t'a dit Joséphine, gronda Nicolas. Elle fait le siège de tous mes amis pour les dresser contre moi. Toi aussi, tu t'es laissé prendre !

— Pas du tout.

— Ose dire qu'elle ne t'a pas demandé d'intercéder en sa faveur !

— Si... en quelque sorte...

— Tu vois bien ! Et tu l'as écoutée ! Etant mon père, tu aurais dû lui clouer le bec dès les premiers mots, la mettre à la porte ! Es-tu avec moi ou contre moi ?

— Avec toi, Nicolas.

— On ne le dirait pas !

Ces reproches cinglaient Igor Dimitrievitch. Démasqué, humilié, il cherchait une réplique défensive comme on lève le bras pour se préserver des coups. Il bredouilla :

— Mais je ne lui ai rien promis, Nicolas. Je lui ai dit que je ne voulais pas me mêler de vos affaires... Elle avait l'air très désemparée, tu sais...

— Comédie !

— Alors, c'est vraiment fini entre vous ?

— Evidemment !

— Mais pourquoi ?

— Difficile à dire. Je ne peux plus la supporter. Même le son de sa voix me tape sur les nerfs. Je vais d'ailleurs me remarier.

Bien qu'il s'attendît à cette nouvelle, Igor Dimitrievitch en fut bouleversé. Qu'avaient-ils tous à vouloir changer de vie ? Une maison de campagne aux environs de Paris, une autre femme... La soif de nouveauté leur tournait la tête.

— Et quand... quand comptes-tu te remarier ? demanda-t-il.

— Dès que le divorce aura été prononcé, dit Nicolas. D'après mon avoué, ce sera possible vers la fin du mois d'avril.

— Déjà !

— Le plus tôt sera le mieux.

— Et avec qui ?

— Une jeune femme charmante : Martine Bau-

40

dry. Elle-même est divorcée. Elle a un fils de douze ans.

A chaque précision, Igor Dimitrievitch se tassait un peu plus dans son fauteuil. Timidement, il demanda :

— Quel âge a-t-elle ?

— Quarante ans.

— Et toi ?

— Tu le sais bien, papa : cinquante-neuf !

— C'est une grande différence !

— J'en ai parlé très librement avec elle. Cela ne nous gêne pas. Nous nous aimons. Nous nous comprenons. Depuis que je l'ai rencontrée, j'ai repris goût à la vie. Quand tu la connaîtras, tu me donneras raison. J'ai l'intention de te l'amener ce soir, vers six heures.

Pris au piège, Igor Dimitrievitch murmura :

— Ce soir... ce... ce n'est pas possible...

— Pourquoi, papa ? Tu attends quelqu'un ?

— Non.

— Alors ?

— Il faut que j'en parle d'abord à Zénaïde Antonovna...

— Qu'a-t-elle à voir là-dedans ?

— Mais voyons... pour le thé... nous n'avons rien préparé... Je ne sais pas si...

Coupant la parole à son père, Nicolas appela Zénaïde Antonovna et lui annonça, d'une voix forte, qu'il comptait revenir, en fin d'après-midi, avec Mme Martine Baudry, sa future épouse. Estomaquée, Zénaïde Antonovna susurra, en rentrant la tête dans les épaules :

— Très bien, très bien, Nicolas Igorovitch...

Nicolas consulta sa montre :

— Trois heures ! Il faut que je file !

— Tu n'aurais pas le temps d'arranger mon

poste de télévision? demanda Igor Dimitrievitch d'une voix mince.

— Pourquoi? Il est en panne?

— Oui, je crois...

— Eh bien, nous verrons ça ce soir.

Quand son fils fut parti, Igor Dimitrievitch se prépara à affronter les récriminations de Zénaïde Antonovna. Mais elle se montra étrangement enjouée. A croire que la rudesse de Nicolas à son égard, loin de la contrarier, l'avait assouplie. Sans doute, en secret, aimait-elle être commandée. Il regretta de n'avoir plus la force de le faire. En vérité, elle était curieuse de rencontrer cette Martine. Pour mieux la critiquer, évidemment.

— Que pensez-vous de tout cela, Zénaïde Antonovna? dit-il. Je ne pouvais pas faire autrement...

— Bien sûr que non! Puisque votre fils a décidé de se remarier, vous devez recevoir sa fiancée. A son âge, on ne demande plus l'autorisation des parents! On fonce dans le brouillard, à ses risques et périls!

— Mais cette pauvre Joséphine...

— C'est le jeu de l'amour! dit-elle en claquant des doigts avec une sorte d'entrain espagnol.

Au fond, cette aventure la divertissait comme un film sentimental à la télévision. Il la jugea sans cœur et stupide.

— Je n'ai pas le temps de faire de la pâtisserie, reprit-elle. Je vais aller acheter quelques gâteaux secs. Donnez-moi de l'argent.

Par crainte des cambrioleurs, il n'avait jamais sur lui que de la menue monnaie. Zénaïde Antonovna le conduisit, appuyé sur sa canne, dans la chambre, jusqu'au placard où se trouvait caché, scellé, un petit coffre-fort. Il l'ouvrit, en tira un billet de cent francs, referma la lourde porte blindée, brouilla les chiffres de la combinaison et

rangea le volumineux trousseau de clefs dans sa
poche. Puis il marqua sur son calepin ce qui restait
en caisse : trois cent cinquante-sept francs. Il agissait avec autant de mystère et de componction que
s'il eût été le gardien assermenté d'un trésor.
Zénaïde Antonovna le plaisanta sur sa méfiance :

— Ne dirait-on pas que nous sommes million-
naires !

Il ne releva pas l'insolence du propos et dit
sèchement :

— Vous me rendrez la monnaie.

Pourtant il n'était pas avare. Simplement il
aimait l'ordre. Elle insista pour qu'il fît la sieste
pendant qu'elle dressait la table :

— Il faut que vous ayez bonne mine pour
accueillir votre future belle-fille !

Il protesta mais finit par obéir. Allongé, tout
habillé, sur le lit, il écoutait les bruits de la maison
avec un mélange d'excitation et d'angoisse. Bientôt
Zénaïde Antonovna sortit pour faire ses emplettes.
Il essaya de se calmer en évoquant, à propos de ce
thé modeste, quelque fête étincelante de Russie. Un
soir, au restaurant Strélnia, dans la salle décorée de
plantes tropicales, un richissime marchand de
grains, Sazonov, avait exigé qu'on abattît un pal-
mier dont le tronc lui cachait la vue d'une jeune
beauté assise à la table voisine. Sans sourciller, le
directeur de l'établissement avait ordonné de scier
l'arbre et Sazonov avait payé une somme exorbi-
tante pour pouvoir contempler à loisir une créature
dont il ne chercha même pas, par la suite, à gagner
les faveurs. Ce genre de folie n'avait pas cours en
France, pays de l'économie et de la raison. Aujour-
d'hui, on se contentait de quelques gâteaux secs
pour honorer une jeune femme. N'aurait-il pas
fallu, au moins, acheter des fleurs ? Il regretta de

n'en avoir pas parlé à Zénaïde Antonovna. La renvoyer en ville, chez le fleuriste ? Il n'oserait jamais. Incapable de dormir, il se demandait quelle attitude prendre devant cette nouvelle venue dans la famille. En des circonstances aussi graves, il lui était pénible de n'avoir que Zénaïde Antonovna comme confidente. Hélène eût trouvé immédiatement le ton juste pour accueillir cette Martine Baudry. Ni trop de familiarité ni trop de raideur. Elle avait l'instinct des convenances. Sans elle, il était incapable de se conduire. Au comble de l'incertitude, il décida de téléphoner à Boris pour le mettre au courant de la situation. D'habitude, il évitait de l'appeler au bureau. Cette fois-ci, l'affaire étant d'importance, il força la consigne. Boris ne marqua aucune surprise ; son frère l'avait déjà averti.

— D'accord, papa, dit-il, tu ne pouvais pas refuser de la recevoir. Mais je te demande de ne pas te montrer trop aimable avec elle. Il faut que Nicolas sente ta réprobation, ton inquiétude devant ce mariage absurde. Peut-être cela lui ouvrira-t-il les yeux ?

« J'ai eu raison de ne pas faire acheter des fleurs », songea Igor Dimitrievitch avec soulagement. Et il demanda :

— Tu trouves donc, toi aussi, que Nicolas a tort ?

— Etant donné son âge, son passé, les qualités de Joséphine, oui, cent fois oui. Et Huguette est encore plus sévère que moi ! Elle aime trop Nicolas pour ne pas souffrir de le voir s'embarquer à la légère !

— Si tu savais combien cette visite m'embarrasse !

— Tu n'as qu'à te mettre au lit et dire que tu es très fatigué. Comme ça, ils ne resteront que dix minutes.

— C'est une idée... Mais Zénaïde Antonovna est allée acheter des gâteaux secs...

— Tu les garderas pour un autre jour.

— Oui, oui... Pourquoi pas ?... Je suivrai ton conseil...

En reposant l'appareil sur sa fourche, Igor Dimitrievitch n'était pas autrement convaincu. La suggestion de Boris, tout en le déchargeant d'un souci, le privait d'une joie dont il ne s'était pas encore avisé. Subitement, il décida qu'il offenserait les convenances en se montrant à sa future belle-fille dans sa chambre, en petite tenue, et couché comme un grabataire. Du reste, Nicolas ne manquerait pas de flairer le subterfuge. Et il en tiendrait rigueur à son père. Igor Dimitrievitch avait plus peur de Nicolas que de Boris. Incontestablement, c'était debout qu'il devait accueillir le couple. Il entendit Zénaïde Antonovna qui revenait de faire ses courses et l'interpella pour qu'elle l'aidât à se lever et à se préparer.

Ayant enfilé sa veste d'intérieur en velours grenat, il hésita longuement sur le choix de la cravate et se décida pour la plus récente (elle devait bien avoir dix ans), à fines raies violettes et grises. Mais il eut beaucoup de mal à la nouer. Agacé, il finit par appeler Zénaïde Antonovna à la rescousse. Le menton haut, il la voyait tripoter la cravate avec ses grosses mains de ménagère. Enfin elle plissa un œil d'artiste et se déclara satisfaite. Lui ne l'était pas. Son nœud de cravate avait l'air d'un œuf colorié. Elle affirma ne pouvoir faire mieux. Il se résigna. Après un dernier regard dans la glace, il se jugea même à peu près présentable, malgré son nœud de cravate avachi, ses cheveux rares et blancs, ses longues rides sèches et ses taches de son sur la peau. Zénaïde Antonovna l'amena dans la salle à manger où la table était déjà mise. Il se laissa tomber dans son fauteuil et attendit, avec de sourds battements de cœur, le coup de sonnette fatidique.

4

Tout en buvant son thé à fines gorgées, Igor Dimitrievitch observait la jeune femme que son fils avait tirée de la foule des Françaises comme on tire d'un sac un numéro de loto. Bien qu'il fût prévenu contre elle, il devait reconnaître que cette petite personne brune, à la lèvre charnue, au nez impertinent et au regard chargé de paillettes de feu, était plus piquante que l'infortunée Joséphine. Sans cesser de condamner Nicolas, il le comprenait. Et Zénaïde Antonovna, assise en face de lui, paraissait, elle aussi, subjuguée. Quant à Nicolas, il couvait sa compagne d'un regard lourd d'imbécillité amoureuse. Lui d'habitude si dur, si ironique, si tranchant n'était plus qu'un père inquiet assistant au passage de sa fille devant un examinateur. Happant au vol chaque mot qui tombait de cette bouche adorable, il guettait humblement les réactions de l'assistance. Plus il était tendu, plus Martine semblait naturelle. Après quelques propos anodins, elle interrogea Igor Dimitrievitch sur son existence en Russie, avant la révolution. Il crut d'abord à un intérêt de pure politesse. Mais elle insistait. Alors il se lança éperdument dans les souvenirs. Ils affluaient dans sa tête avec une joyeuse incohérence. Pêle-mêle, il évoqua la maison de Moscou, dans le quartier de l'Arbat, la vie large et gaie avec

Hélène, les spectacles de ballet du Bolchoï, le Théâtre d'art de Stanislavski, dont la salle était tendue de tissu gris, avec une mouette blanche sur le rideau de scène, les cabarets secoués par la voix rauque des chanteurs tziganes, les folles randonnées en traîneau hors de la ville, la nuit, pour rejoindre quelques amis dans un restaurant des environs. La troïka volait à travers des dentelles de froid. Le tintement des clochettes ponctuait la chanson que le cocher braillait pour amuser la compagnie. Et, à la maison même, quelle organisation de rêve, quel confort inconcevable aujourd'hui ! Cuisinier, aide-cuisinier, valets de chambre, femmes de chambre, blanchisseuse, lingère, cocher, palefrenier, gardien tcherkesse, chauffeur. C'était le chauffeur qui touchait les gages les plus élevés. Igor Dimitrievitch se souvenait encore du chiffre : quarante roubles par mois, soit cent huit francs or. L'écurie contenait cinq chevaux, dont une paire de superbes trotteurs Orloff. Dans la remise à voitures se trouvaient deux traîneaux, un landau, une calèche et un petit break de chasse. Le garage abritait en outre une automobile Mercedes Simplex à portières latérales. Pour chaque sortie en ville, le cocher et le chauffeur entraient en compétition. Ils attendaient les ordres dans l'antichambre. Quand Hélène avait donné sa préférence à l'un, l'autre se retirait, vexé. Igor Dimitrievitch s'amusait de cette lutte sourde.

— Notre cocher, Porphyre, avait, comme c'était l'usage, une grande barbe, dit-il. Le vent la divisait en deux. Il était si emmitouflé dans sa houppelande qu'il fallait le hisser sur son siège. Mon Dieu, que tout cela est loin ! La guerre, la révolution ont balayé notre vie comme un ouragan !

— Je comprends qu'après tant de faste l'existence à Paris vous ait paru mesquine et dure! dit Martine.

— Oui, soupira-t-il. Le réveil a été un peu brutal.

— Nicolas m'a dit que vous étiez arrivés en France en 1920. Mais il se souvient mal de votre voyage. Ce dut être horrible!

— Horrible, oui. Nous avons parcouru toute la Russie en zigzag, suivant le mouvement des combats entre rouges et blancs. La plupart du temps, nous voyagions dans des wagons à bestiaux. Vingt fois, nous avons failli être pris au piège. Tomber aux mains des bolcheviks, cela signifiait la mort. Un jour, à Tsaritsyne [1], nous avons bien cru que c'était la fin. L'armée rouge cernait la ville. Il n'y avait plus une place libre sur le dernier bateau qui allait quitter le port pour descendre la Volga. Toute notre famille était réunie, en larmes, sur le quai, au milieu des bagages. Je me précipitai à la recherche du capitaine pour le supplier de nous prendre en surnombre. Quand je le découvris, je crus à un miracle : c'était un de mes amis d'école. Nous tombâmes dans les bras l'un de l'autre. Il nous permit d'embarquer. Il nous céda même sa cabine. Tu te rappelles, Nicolas ?

— Vaguement, dit Nicolas. J'avais neuf ans. Mais je revois un autre bateau où nous étions entassés dans la cale, parmi une foule de réfugiés gémissants. Tout le monde était malade. Je vomissais à rendre l'âme.

— C'est quand nous avons quitté Yalta pour Novorossiisk sur le *Rizeye*. La mer Noire était très mauvaise. Et voilà qu'au milieu du parcours l'équipage se révolte. Un délégué des marins vient nous annoncer que le bateau va faire demi-tour pour

1. Stalingrad après 1925, Volgograd depuis 1961.

48

débarquer les « sales bourgeois » à Sébastopol et les livrer aux bolcheviks. Après un instant de panique, les passagers se sont cotisés pour offrir une forte somme au comité des mutins. C'est moi qui suis allé le trouver. Marché conclu, le navire a continué sa route. Nous sommes arrivés à bon port. Mais j'ai bien pensé pendant un moment, que notre dernière heure était venue.

A revivre ces scènes de détresse, Igor Dimitrievitch éprouvait tout ensemble une horreur rétrospective et le soulagement de la délivrance. Il aurait voulu en dire cent fois plus sur le courage d'Hélène pendant l'exode, sur le plaid vert à carreaux dont elle enveloppait les enfants pour la nuit, sur l'épidémie de grippe espagnole qui les avait tous cloués dans un camp de quarantaine tenu par les Allemands, après la paix de Brest-Litovsk. Il se contenta, à la demande de Nicolas, de raconter les derniers instants passés à Novorossiisk avant de quitter la Russie. Devant la progression inexorable des troupes rouges dans le Kouban, toute la famille avait embarqué sur un rafiot russe, à destination de Constantinople. Malheureusement, le port était pris dans les glaces. Le vent soufflait avec une violence inouïe. Aucun navire ne pouvait appareiller. Et les bolcheviks approchaient de la ville. Enfin, dans les premiers jours de février, le temps s'était radouci. Le bateau avait pris le large, creusant un chenal entre les blocs blancs à la dérive. Sauvés ! Les côtes de la Russie diminuaient, s'estompaient dans la brume. Inconscients du chagrin de leurs parents, Nicolas et Boris jouaient à la guerre civile, sur le pont, avec d'autres enfants d'émigrés.

— Nous nous étions partagé les rôles, dit Nicolas. J'étais le général Dénikine et Boris le général Vrangel...

— Et, quand vous vous êtes retrouvés en France, quelle a été votre impression ? demanda Martine.

— Nous étions à la fois heureux d'avoir pu échapper à l'enfer et malheureux d'avoir dû abandonner notre patrie, dit Igor Dimitrievitch.

— Notre patrie et notre fortune, dit Nicolas.

— Oui, tout ce que nous possédions à Paris, c'étaient quelques bijoux de ma femme que nous avions pu passer, cousus dans les doublures de nos vêtements. Ils nous ont aidés à survivre, les premiers temps.

— Au fond, vous n'avez jamais pu vous réadapter ? reprit Martine.

— Jamais, dit-il avec une sorte de fierté pitoyable.

Il était reconnaissant à Martine de chercher à en savoir davantage sur la famille Lébédev. D'habitude, les jeunes dédaignent tout ce qui n'est pas leur époque. Elle, en revanche, paraissait attirée par le passé de l'émigration russe à Paris. Igor Dimitrievitch n'avait pas la sensation de l'ennuyer en lui racontant, par bribes, ces années de privation et de dignité. Il lui expliqua comment il avait dilapidé les sommes tirées de la vente des bijoux en finançant des films muets plus décevants les uns que les autres, comment il s'était fourvoyé dans la vente des huiles, des parfums, des fleurs artificielles, comment enfin, à bout de ressources, il avait accepté la gérance d'un magasin de bonneterie. Pendant ce temps, Hélène confectionnait des chapeaux, en chambre, pour une clientèle essentiellement russe. Malgré leurs efforts à tous deux, l'argent manquait. Le moindre ressemelage posait un problème. La scolarité des enfants coûtait cher.

Nicolas intervint dans la conversation pour rappeler sa crainte d'être renvoyé du lycée pour non-paiement de la note trimestrielle. Chaque fois qu'il apercevait le censeur, il faisait un détour pour l'éviter. Cette remarque à retardement émut Igor Dimitrievitch. Il retrouvait son fils comme dans les années démunies de l'adolescence. Il dit encore avec colère :

— Et voilà, maintenant les Soviets ont défiguré notre beau pays ! Ils en ont fait un camp retranché ! Ils règnent par la terreur policière sur une population qui ignore tout du reste du monde ! Quel gâchis !...

Zénaïde Antonovna se lança à son tour dans les souvenirs :

— Quand je suis entrée au service des Lébédev...

Martine voulut voir des photos d'Hélène. Elle la trouva belle et mélancolique. Igor Dimitrievitch, la gorge serrée, recevait ces compliments comme si sa femme eût été encore vivante. Le fait que Martine fût jeune — bien trop jeune pour Nicolas ! — et jolie donnait plus de prix à son opinion. Elle portait un tailleur très strict, couleur pain brûlé, dont la veste s'ouvrait sur un chemisier vert d'eau. Pas de bijoux. Seulement un bracelet d'ivoire au poignet. Depuis qu'elle s'était assise à cette table, Igor Dimitrievitch avait l'impression de reculer dans le temps. Lui qui se croyait figé par l'âge se découvrait sensible à la beauté, à la fraîcheur d'un visage féminin. Incapable, depuis très longtemps, du moindre désir physique, il trouvait un plaisir délicat, et comme asexué, à baigner dans le rayonnement de cette étrangère de quarante ans, à la chair ferme et lisse, au regard direct. Il y avait, pensait-il, un prodige de la nature dans le grain serré de cette peau, dans l'éclat joyeux de ces prunelles noires.

Tout, chez elle, était vif, spontané, amusé et tendre. Sa coquetterie même paraissait naturelle. A ses côtés, Nicolas avait l'air d'un barbon. « Pourquoi diable a-t-elle accepté de l'épouser ? » se demanda Igor Dimitrievitch. De temps à autre, elle décochait à Nicolas la flèche d'un regard amoureux. Ils se tutoyaient, ce qui était normal, mais étonna Igor Dimitrievitch comme une incongruité. L'horloge de la salle à manger sonna huit heures et, au dernier coup, il osa poser la question :

— Pourquoi ne resteriez-vous pas dîner ?

— C'est que, dit Zénaïde Antonovna, nous n'avons presque rien...

— On se débrouillera, affirma-t-il.

Et il fixa sur Martine un regard implorant. La décision dépendait d'elle. Elle n'hésita pas long-temps :

— Volontiers. Mais j'ai peur que cela ne vous dérange...

Elle souriait du coin des lèvres. Igor Dimitrie-vitch tressaillit de bonheur et échangea avec son fils un coup d'œil triomphal. Ils avaient le même âge soudain. Zénaïde Antonovna elle-même parais-sait ravie.

— Vous aurez des *bitki*[1] à la crème et de la *kacha*[2], dit-elle. C'est tout. Un repas russe !

— Bravo ! J'adore ! dit Martine.

Elle voulut absolument aider Zénaïde Antonov-na à la cuisine. Nicolas enleva les tasses, balaya les miettes de la nappe et disposa les couverts pour le dîner. Ce faisant, il retrouvait les gestes de son passé enfantin. Assis dans son fauteuil, Igor Dimi-trievitch regrettait de ne pouvoir participer à l'agi-

1. Croquettes de viande.
2. Gruau de sarrasin.

52

tation générale. A voir évoluer Martine dans la maison, il lui sembla tout à coup qu'elle faisait depuis toujours partie de la famille, qu'Hélène l'avait connue et aimée. Pour accompagner les *bitki*, Zénaïde Antonovna servit une bouteille de vodka bien glacée. Exceptionnellement, elle autorisa Igor Dimitrievitch à en boire le fond d'un petit verre. Ce trait de feu sur sa langue le ragaillardit. Dans son exaltation, il porta la main de Martine à ses lèvres. Un léger parfum de prairie entra dans sa tête. Il eut comme un vertige printanier, baissa les paupières, les rouvrit : le monde était flou derrière ses lunettes embuées. Martine, elle aussi, buvait de la vodka, mais timidement, à courtes gorgées, avec un gracieux renflement du cou. Nicolas, lui, levait le coude, rasade après rasade, sans sourciller. De nouveau, Igor Dimitrievitch tendit son verre.

— Non, dit Zénaïde Antonovna.

— Rien qu'une goutte, murmura-t-il.

Elle céda. Tout le monde était très gai. Martine révéla que Nicolas essayait de lui apprendre le russe. Mais elle n'avait aucune disposition. Igor Dimitrievitch lui demanda de dire en russe quelques mots simples : table, chaise, porte... Elle les prononça avec un tel accent français qu'il rit aux éclats. Amusé et troublé à la fois, il voulut savoir si elle aimait la musique russe. Et, comme elle répondait par l'affirmative, il pria Zénaïde Antonovna de mettre sur l'électrophone un ancien disque de Chaliapine, qu'il choisit lui-même dans le tas.

— Attendez que nous soyons sortis de table ! dit Zénaïde Antonovna.

— Non. Maintenant.

Elle s'exécuta. On mangea le dessert — des fruits au sirop — en écoutant la chanson de *Stenka Razine.* Comme chaque fois qu'il entendait un air de son pays, Igor Dimitrievitch se sentit envahi d'une nostalgie que rien ne pouvait assouvir, un désir fou de retourner là-bas, de revoir la steppe, la neige, les bouleaux, les coupoles dorées des églises, un besoin viscéral de revivre sa jeunesse avec Hélène. Entraîné par la musique, il se mit à fredonner. Sa voix déraillait. Son dentier le gênait. Il surprit le regard inquiet de Nicolas. Avait-il trop bu ? Le sourire de Martine s'accentuait, lointain et indulgent. Il eut peur d'être ridicule et se tut, les larmes aux yeux. Mais aussitôt un souvenir cocasse le revigora. Il se rappela ce soir où Chaliapine, qui était un familier du couple, avait accepté de venir chanter à la maison, après le spectacle. Hélène avait réuni tous leurs amis pour cette occasion exceptionnelle. Les deux salons étaient pleins de dames aux parures étincelantes et de messieurs compassés en frac. Un respect religieux entourait l'illustre personnage qui avait pris place près du piano. Soudain, pendant qu'il chantait de sa voix de basse profonde l'air populaire des *Douze Brigands*, la porte s'était ouverte sur la vieille nounou qui, le visage bouleversé par l'indignation, s'était écriée : « Chut ! Les enfants dorment ! » D'abord interloqué, Chaliapine avait éclaté d'un large rire. Et toute l'assistance l'avait suivi. A revivre la scène, Igor Dimitrievitch éprouvait une gaieté rétrospective. Son cœur dansait d'allégresse comme une balle de celluloïd sur un jet d'eau, à la foire. Entretemps, le disque s'était arrêté.

— Personne ne chantera plus jamais comme Chaliapine, soupira Igor Dimitrievitch.

— Quelle merveilleuse soirée ! dit Martine.

— Je crois qu'Igor Dimitrievitch est un peu fatigué, chuchota Zénaïde Antonovna. Il n'a pas l'habitude de veiller si tard !

— Qu'est-ce que vous racontez ? s'exclama-t-il. Je me sens très bien !

Mais sa langue s'empâtait. Nicolas et Martine prirent congé. Igor Dimitrievitch se leva pour les accompagner jusqu'à la porte. En embrassant son fils, il lui dit à voix basse, en russe :

— Je suis content de ton choix !

Et il lui appliqua une tape sur l'épaule. Nicolas, rassuré, primé, le remercia d'un regard humide. Puis Igor Dimitrievitch s'inclina pour baiser la main de Martine et prononça avec sentiment :

— Revenez, revenez vite !... Vous êtes ici chez vous...

Ses genoux tremblaient. Il s'appuyait de tout son poids sur sa canne. La brûlure de la vodka irradiait encore dans sa bouche. Dès que le couple fut parti, Zénaïde Antonovna conduisit Igor Dimitrievitch jusqu'à son lit et l'aida à se coucher. Une fois allongé sous les couvertures, il demanda :

— Comment la trouvez-vous ?

— C'est une sacrée bonne femme ! dit Zénaïde Antonovna en le bordant. Elle le mettra dans sa poche !

Il eut un rire intérieur, ferma les yeux et se rappela soudain que, dans son euphorie, il avait oublié de demander à Nicolas d'arranger le poste de télévision.

5

Pendant que le docteur Philippov rédigeait son ordonnance sur un coin de table, Igor Dimitrievitch, assis au bord du lit, reboutonnait son pyjama d'une main tâtonnante. Zénaïde Antonovna voulut l'aider. Il la repoussa : chaque fois qu'il le pouvait, il affirmait son autonomie de mouvement. Le résultat de cette consultation de routine l'avait ragaillardi. Tout allait son train. On se bornerait à continuer le traitement d'entretien : soutenir le cœur, activer l'appétit... Et, pour la nuit, un léger somnifère : du sirop de valériane.

Ayant fini d'écrire, le docteur Philippov se retourna à demi sur sa chaise et donna quelques indications pratiques, en russe, à Zénaïde Antonovna. Elle était paralysée de respect devant ce petit homme replet, aux cheveux gris coupés en brosse, aux lunettes cerclées d'or et au regard enfantin. Igor Dimitrievitch avait, lui aussi, une confiance absolue en son médecin. Il le trouvait doux, attentif et compétent. Sûrement cet homme-là devait être capable de régler le poste de télévision. Il lui posa la question. Aussitôt, Zénaïde Antonovna prit une mine scandalisée. Mais le docteur Philippov eut un sourire indulgent, s'approcha de l'appareil, tourna quelques boutons et l'image revint. Exaucé, Igor Dimitrievitch se confondit en remerciements.

— Je laisse le poste allumé ? questionna le docteur Philippov.

— Non, dit Igor Dimitrievitch. Eteignez : la télévision me fatigue.

Et, sans se préoccuper de la contradiction entre son désir de savoir le poste réparé et sa répugnance à regarder le petit écran, il enchaîna en demandant au médecin le prix de sa consultation.

— Mais... comme d'habitude, dit le docteur Philippov d'un air amusé.

La cérémonie se renouvelait à chaque visite. Bien que le médecin eût insisté pour envoyer sa note d'honoraires une ou deux fois par an, Igor Dimitrievitch préférait le régler au coup par coup, en espèces. Glissant la main sous l'oreiller, il en extirpa son vieux portefeuille de cuir noir à coins dorés. Il avait préparé la somme dès le matin. Néanmoins, il la vérifia. Comme il tendait l'argent au bout de ses doigts tremblants, on sonna à la porte. Boris fit son entrée, tout échauffé, dans la chambre : il s'était dépêché pour rencontrer le docteur au chevet de son père. On le rassura : tout allait pour le mieux ; Igor Dimitrievitch avait un fonds de santé exceptionnel ; s'il se ménageait, il deviendrait plus que centenaire. Igor Dimitrievitch écoutait ces affirmations avec un contentement fiérot, comme si sa longévité lui permettait de faire la nique au commun des mortels. Enhardi par ces bonnes paroles, Boris demanda tout à trac :

— Croyez-vous, docteur, que nous puissions emmener mon père en auto à Rambouillet ?

Il revenait à la charge. Igor Dimitrievitch fut d'abord agacé par son insistance. Mais déjà Boris précisait son intention :

— Nous avons projeté d'y aller tous ensemble, samedi prochain, en trois voitures. Mon frère et sa future femme, Martine, viendraient aussi. Et nos enfants. Nous ferions juste l'aller et retour. C'est pour montrer à mon père la maison de campagne que nous sommes en train d'aménager.

De ces explications, Igor Dimitrievitch ne retenait qu'une chose : Nicolas et Martine seraient du voyage. Soudain il eut envie de se retrouver parmi eux. Après s'être opposé avec fureur à tout déplacement, il souhaitait que le docteur Philippov autorisât cette randonnée familiale.

— Je ne sais trop que vous conseiller, dit le docteur Philippov. Votre père va on ne peut mieux. S'il se couvre bien, si vous ne le ramenez pas trop tard chez lui, je crois que cette promenade en voiture ne présentera aucun inconvénient. Elle peut même lui être bénéfique. Elle le distraira, elle lui fera prendre l'air. Finalement, c'est à lui de décider. Qu'en dites-vous, Igor Dimitrievitch ? Cela vous ferait plaisir d'aller à Rambouillet avec vos fils ?

Igor Dimitrievitch n'entendit pas la question. Depuis un instant, il pensait à Martine. En l'évoquant, il songeait — Dieu sait pourquoi — au pétillement du sel jeté sur une flamme. Sans doute une paix de compromis était-elle intervenue entre les deux frères. Huguette avait fini par accepter que Nicolas pût se remarier, malgré son âge, avec une femme de quarante ans. Cette réconciliation tacite ressoudait la famille. Comme Igor Dimitrievitch continuait à se taire, absorbé par ses réflexions, Zénaïde Antonovna répondit pour lui :

— Je crois qu'Igor Dimitrievitch ne tient pas à ce voyage. Il a peur que cela ne le fatigue.

Aussitôt, il explosa :

— Qu'est-ce que vous chantez là ? Je suis assez grand pour décider moi-même ! J'irai samedi à Rambouillet ! Ça me plaît et j'irai !

Son éclat tomba dans le vide. Tout le monde riait avec condescendance comme devant une colère d'enfant.

— Bravo, papa ! dit Boris. Je suis sûr que tu ne le regretteras pas. Bien entendu, Zénaïde Antonovna sera des nôtres. Nous pique-niquerons sur place...

Lorsque le docteur Philippov fut parti, Igor Dimitrievitch demanda à Boris comment s'était opéré le rapprochement entre les deux couples.

— Le plus simplement du monde, dit Boris. Nicolas nous a invités, Huguette et moi, au restaurant, avec Martine. Nous avons parlé très amicalement. Après tout, les affaires de cœur ou de lit de mon frère ne nous regardent pas. D'ailleurs, Huguette a trouvé Martine plutôt sympathique...

— Elle l'est ! dit Igor Dimitrievitch avec élan.

Boris lui décocha un regard narquois. Zénaïde Antonovna pinça les lèvres pour réprimer un sourire. Mais Igor Dimitrievitch n'attachait aucune importance à cette manifestation d'ironie imbécile. Ses yeux se fixèrent sur l'éphéméride russe pendu au mur, dont les feuilles détachables donnaient les dates du calendrier grégorien en usage en France et, au-dessous, celles du calendrier julien qui avait cours en Russie avant la révolution. On était lundi. Cinq jours à attendre. « Pourvu que je me garde en bonne santé jusque-là ! » pensa-t-il subitement. Il rêva au temps lointain où il pouvait, comme ses fils, faire des projets à longue échéance. Aujourd'hui, le moindre délai posait un problème. Le futur se rétrécissait devant lui jusqu'à n'être plus qu'une petite plage de sable gris, léchée par les vagues de l'inconnu. A force de ne plus voir au-delà du lendemain, il avait perdu le goût de l'avenir.

Il réclama sa robe de chambre, se mit debout et proposa à Boris de rester dîner. Mais Boris avait hâte de rentrer chez lui. Huguette l'attendait. Igor Dimitrievitch songea que, lui, personne ne l'attendait nulle part. Il était condamné jusqu'à son dernier souffle à ne voir en face de lui, à table, que Zénaïde Antonovna, avec ses cheveux teints, sa peau flasque et ses mandibules voraces. Encore n'avait-il pas le droit de se plaindre. Finissant ses jours dans le décor où il avait si longtemps vécu avec Hélène, il était un privilégié parmi les vieillards. Décidément, le grand âge était une punition. Mieux valait partir jeune. En se disant cela, il se rappela que bientôt il passerait une journée en famille, à Rambouillet, et cette perspective le requinqua. Il raccompagna son fils jusqu'à la porte et demanda à Zénaïde Antonovna :

— Qu'avons-nous pour le dîner ?

— Un bouillon de légumes et une tranche de jambon, dit-elle.

Il fit la grimace. Et soudain, pensant à l'excursion de samedi prochain, il se retrouva assis sur l'herbe, en Russie. Avec une précision extraordinaire, il revit la mallette de pique-nique en cuir fauve, les assiettes maintenues par des courroies croisées, les petits logements de velours pour les verres, les couteaux, les cuillers, les fourchettes. Malheureusement, le couvercle en pleine peau était éraflé sur le côté : la maladresse d'un domestique. Hélène en était désolée.

— Où est-elle passée, cette mallette ? murmura-t-il rêveusement.

— Quelle mallette ? demanda Zénaïde Antonovna.

Il s'aperçut, trop tard, qu'il divaguait dans le passé et dit :

— Ce n'est rien !

— Vous parlez tout seul maintenant ? ricana Zénaïde Antonovna.

Vexé, Igor Dimitrievitch se rendit dans la salle à manger, s'assit dans son fauteuil, prit *La Pensée russe* et se plongea dans la lecture d'un article politique auquel il ne comprenait pas grand-chose. A ses yeux, l'important n'était pas ce qui se passait en France en 1968, mais ce qui s'était passé en Russie en 1917. Lénine, Trotski, Kerenski... des noms d'autrefois dansaient dans sa tête. Il ne cessait de revenir à cette époque de rupture, avec un sentiment d'angoisse et d'incrédulité. Une somnolence le saisit au milieu de sa méditation.

Zénaïde Antonovna le réveilla en mettant la table pour le dîner.

*

Au désespoir d'Huguette, les travaux n'avaient guère avancé en une semaine. La maison, disait-elle, ne serait pas habitable avant la fin de juin. Mais on pouvait s'y abriter parmi les gravats et les planches. Un froid humide suintait des murs. Les ouvriers avaient laissé leurs outils sur place. Ils reviendraient lundi. Ayant parcouru le chantier à petits pas, Igor Dimitrievitch fit un effort de politesse pour complimenter son fils et sa bru sur leur acquisition. En réalité, c'était pire que ce qu'il avait imaginé d'après les photographies. Titillés par la mode des résidences secondaires, ces gamins allaient loger dans une villa aux chambres petites et basses de plafond, avec une salle de séjour qui ressemblait à la cuisine d'une ferme. Trop heureux de pouvoir dire à la ronde qu'ils passaient leurs week-ends hors de Paris.

Pour sa part, Igor Dimitrievitch savait qu'il ne remettrait plus les pieds à « La Bergerie ». Le voyage en auto l'avait étourdi. Il ne supportait pas cette sensation de vitesse, enfermé dans une boîte de tôle. L'incessant défilé des paysages derrière la vitre lui donnait la nausée. C'est avec angoisse qu'il pensait à l'épreuve du retour.

Par chance, il faisait anormalement doux pour un mois de mars. Nicolas transporta dans le jardin un vieux fauteuil éclaboussé de plâtre et installa son père au soleil, sous un arbre aux branches piquetées de bourgeons. Martine couvrit les jambes d'Igor Dimitrievitch avec un plaid épais apporté de Paris et exigea qu'il s'entourât le cou d'une écharpe. Emmitouflé, le chapeau enfoncé jusqu'aux sourcils, les mains gantées, il respirait avec prudence l'air léger de la campagne. Autour de lui, la famille s'agitait gaiement. Outre Nicolas, Martine, Boris, Huguette et l'inévitable Zénaïde Antonovna, il y avait là ceux de la génération suivante, Muriel et Bernard, ainsi que leur fille de neuf ans, Lorraine. Muriel promenait son ventre en tonneau avec une ostentation qui choquait Igor Dimitrievitch. Jadis, pensait-il, les femmes enceintes se cachaient, autant par pudeur que par coquetterie. Aujourd'hui, elles affichaient avec vanité la preuve irréfutable de leurs rapports avec un homme. L'amour, chez les jeunes, échappait à tout mystère, à toute poésie. Pourtant, elle n'était pas laide, Muriel, avec son visage large, aux traits un peu épais et au regard direct. Simplement elle manquait de grâce dans ses gestes. Tout en elle était lourd, compact. De plus, la mode des « mini-jupes », qui transformait toutes les femmes, jeunes ou vieilles, grosses ou maigres, en fausses petites filles, ne l'avantageait guère dans son état. On lui apercevait le haut des cuisses quand elle se baissait pour ramasser un objet. C'était inesthétique et indécent. Par contraste, Martine semblait encore plus déliée et plus aérienne. Igor Dimitrievitch ne voyait qu'elle au milieu du groupe. Il regrettait qu'elle ne fût pas seule avec lui. Ici, elle se dispersait entre trop de gens. L'atmosphère était à la simplicité et au débridement rustique. La plus endiablée était Zénaïde Antonovna. Le corps engoncé dans un manteau de lapin élimé, le chef coiffé d'une toque de trappeur canadien, elle se trémoussait, battait des mains, courait d'un buisson à l'autre, s'exclamait sur la pureté de l'air et la beauté du paysage :

— Quelle merveille !... Et ce petit bois à l'horizon !... Qu'allez-vous planter là ?... Des roses, bien sûr !... J'adore les roses !... Ce sera un vrai paradis !...

Cet entrain de pucelle attardée exaspérait Igor Dimitrievitch. D'ailleurs, tout le monde, lui sem- blait-il, se forçait pour paraître heureux. On jouait, à son intention, la comédie de la joyeuse partie de campagne. Il n'y avait que lui et la petite Lorraine pour oser manifester un ennui sincère.

Après avoir fait le tour du jardin, qui était minuscule et séparé des jardins voisins par un grillage, toute la compagnie ne sut plus à quoi s'employer. Boris proposa de jouer à la pétanque et alla chercher les boules dans sa voiture. On choisit un terrain à peu près plat, juste devant le fauteuil où siégeait Igor Dimitrievitch. De son poste d'ob- servation, il assistait avec indifférence à cette gaminerie hors de saison. Même les femmes s'étaient mises de la partie. Les conseils répon- daient aux rires : « Je tire ou je pointe ?... Plus près, Boris... Prends par la gauche... Bien joué !... » Huguette et Boris avaient cru bon d'amener leur pékinois à « La Bergerie ». Il aboyait comme un fou et courait en se déhanchant, dans un secouement de poils fauves, après les boules. On criait : « Tang, veux-tu venir ici ! Dieu qu'il est drôle ! » Igor Dimitrievitch se rappela qu'en Russie, à la cam- pagne, Hélène jouait volontiers au croquet. Il la revit, le maillet à la main, prête à frapper sa boule pour la faire passer sous un arceau. Cette image lui parut autrement séduisante que celle d'Huguette ou de Muriel, à demi baissées, les yeux à fleur de tête, la jupe rebiquée, visant le cochonnet. Per- sonne, en France, ne jouait plus au croquet. Pour- quoi ? Les deux équipes n'en finissaient pas de s'affronter. Cloué dans son fauteuil, Igor Dimitrievitch éprouvait un engourdissement qui, de ses membres, remontait à son cerveau. A plusieurs reprises, Martine vint lui demander s'il se sentait bien. Elle seule se souciait de lui. Que pouvait-il lui répondre ? « Oui, oui, très bien... Ne vous occupez pas de moi. » Elle retournait auprès des autres. Zénaïde Antonovna, elle, toute à l'émulation du match, avait oublié ses devoirs d'infirmière. Elle lançait ses boules en tirant la langue. Elle criait avec un fort accent russe : « Rrraté ! » Voulait-elle montrer par là qu'au contraire d'Igor Dimitrievitch elle appartenait encore au clan des jeunes ? Il s'emporta contre elle, en silence, puis ferma les yeux, essaya de somnoler. Mais le tumulte des joueurs l'empêchait d'oublier leur présence. De plus, il commençait à avoir faim. Personne ne paraissait se préoccuper du déjeuner. Il fallut attendre la fin de la partie pour qu'Huguette décidât de déballer les provisions. C'était elle qui avait tout organisé.

On pique-niqua dans la salle de séjour dont le gros œuvre était à peu près terminé. Huguette, radieuse, disait que c'était « une inauguration ». Bien que les murs fussent encore en ciment brut, tout le monde admirait les dimensions et l'agencement des lieux. Le plafond était soutenu par des poutres apparentes. A l'extrémité de la pièce, trônait une vaste cheminée au linteau de bois rudement équarri. Boris et Nicolas y allumèrent du feu avec des bouts de planches. La cheminée tirait mal. La fumée rabattue piquait les yeux d'Igor Dimitrievitch. Mais personne ne s'en plaignait. Subitement encline à la poésie, Huguette affirmait qu'avec ces flammes dans l'âtre la maison prenait vie pour la première fois.

Deux vantaux de porte, couchés sur des tréteaux,

servaient de table. Au menu, du jambon, du saucisson, des œufs durs, du fromage. Les assiettes et les gobelets étaient en carton. Tout le monde s'assit sur des caisses, sauf Igor Dimitrievitch qui eut droit à son fauteuil rapporté du jardin. Il souffrait de cet inconfort qui paraissait amuser les autres. Son regard errait tristement sur le déballage de la mangeaille, les serviettes en papier, le pain posé à même les planches, tout ce désordre prolétarien. Il était un ouvrier cassant la croûte sur le tas. Brusquement rejeté en arrière, il se retrouva au printemps, dans une forêt de bouleaux, en Russie. Une nappe étalée sur l'herbe, des robes de femmes tachetées de soleil, Hélène sous sa capeline de paille à rubans bleus. Un sourire vague erra sur ses lèvres. Il faisait plus froid à l'intérieur de la maison que dans le jardin. Igor Dimitrievitch frissonna et resserra son écharpe autour de son cou. Nul n'y prit garde. Trois générations dévoraient. De temps à autre, Huguette donnait des bribes de jambon à son pékinois qui les happait voracement. Igor Dimitrievitch lui en voulut de nourrir son chien à table. « Cela ne se fait pas ! » décida-t-il avec une dignité sourcilleuse. Mais il se garda de le lui dire. Elle l'impressionnait par sa blondeur, sa solidité et son assurance. Incontestablement, elle était une bâtisseuse. Ce qui lui manquait peut-être, pensait-il, c'était précisément cette indéfinissable faiblesse dont tout homme est friand chez sa partenaire. Auprès d'elle, Martine paraissait si effacée, si fragile ! Moins belle qu'Huguette, elle l'émouvait davantage. C'était peu à peu, à la réflexion, qu'on s'apercevait qu'elle était jolie. Lui qui, quelques instants plus tôt, se plaignait d'un creux dans l'estomac avait subitement perdu tout appétit. Etait-ce le décor qui en était responsable ? Il grignota un peu de jambon. Martine insista pour qu'il en reprît. Elle avait un regard si chaleureux qu'il ne put refuser. A partir de ce moment, elle se tourna plus souvent vers lui. Elle était sa voisine. Leurs coudes se touchaient. Encouragé par elle, il goûta de tout. Quand elle voulut lui servir du vin, Huguette protesta : « Est-ce bien indiqué ? Ce sera le second verre ! » Tirée de son euphorie, Zénaïde Antonovna poussa les hauts cris : « Non, non, Igor Dimitrievitch ! Vous avez assez bu ! » Elle avait apporté une bouteille d'eau minérale et en remplit le gobelet à ras bord. Igor Dimitrievitch avala avec répugnance ce liquide tiède à goût de carton. Martine lui dédia une moue de commisération qu'il jugea charmante. « Et elle n'est même pas ma belle-fille ! pensa-t-il. Je souris à la maîtresse de Nicolas ! C'est incroyable ! » Cet incident passa inaperçu des fils qui discutaient politique avec des voix fracassantes. Ils n'étaient d'accord sur rien. Nicolas était un gaulliste convaincu, alors que Boris tenait de Gaulle pour un dictateur opposé à la vocation démocratique de la France. Leur dispute durait depuis des années. Incapable de donner raison à l'un ou à l'autre, Igor Dimitrievitch se contentait d'écouter leurs éclats de voix en priant Dieu d'éviter une franche querelle. Huguette et Martine intervinrent pour calmer leurs hommes surchauffés. Bernard, qui ne se mouillait jamais, orienta la conversation vers des sujets plus bénins. On en vint à parler du prochain accouchement de Muriel. Quel prénom donner à l'enfant ? Muriel avait une prédilection pour Thibaut. Martine lui fit observer qu'il valait mieux, peut-être, étant donné l'ascendance du futur nouveau-né, lui choisir un prénom à consonance russe.

— Il y en a de si jolis ! dit-elle. Demandez à votre père...

Mais Muriel se butait. Aux Serge, aux Vladimir, aux Ivan, aux Fedor qu'on lui offrait sur un plateau, elle opposait son Thibaut avec un entêtement hargneux.

— Il sera français ! disait-elle. Sa famille est française. Les Delarue ! Pourquoi l'affubler d'un prénom russe ? Qu'est-ce que c'est que ce folklore absurde ?

Igor Dimitrievitch était chagriné de son obstination. Mais moins, sans doute, que ne le supposaient ses fils. Cette naissance dont on parlait tellement se situait hors de son temps, hors de sa vie.

— Et si c'était une fille ? demanda Zénaïde Antonovna.

Muriel n'hésita pas : elle s'appellerait Jessica. Personne n'osa protester. Elle les défiait tous comme une louve assaillie par une meute de chiens. Incontestablement, si elle manquait de charme, elle ne manquait pas de caractère. Bernard lui prit la main dans un geste de tendresse conjugale. Nicolas enlaça de son bras droit les épaules de Martine. Cette attitude de possession contraria Igor Dimitrievitch parce qu'elle révélait un degré d'intimité auquel il préférait ne pas penser. Devant ces trois couples, il essayait en vain de se persuader qu'il avait beaucoup de chance d'être le chef d'une famille robuste et unie. Zénaïde Antonovna demanda à Lorraine si elle était heureuse d'avoir bientôt un petit frère. La fillette rougit, se tortilla sur sa caisse et murmura :

— Oui, mais je voudrais qu'il reste toujours un bébé !

On se récria sur l'adorable naïveté de cette réponse. Igor Dimitrievitch fit chorus. Mais il n'était ni ému ni même amusé. Le froid de la grande pièce nue et grise s'insinuait sous ses vêtements. La vue des restes de charcuterie traînant sur la table lui soulevait le cœur. Dressé près de lui sur ses pattes de derrière, le pékinois mendiait un morceau. « Regardez comme il est mignon, père ! dit Huguette. Donnez-lui quelque chose. » Igor Dimitrievitch obéit. Tang saisit le lambeau de jambon avec tant de vivacité que ses dents frôlèrent les doigts d'Igor Dimitrievitch. Il tressaillit de désagrément. Pour terminer le repas, Huguette servit des pommes. Zénaïde Antonovna s'empara de celle qu'Igor Dimitrievitch avait choisie et la lui coupa en quartiers pour faciliter la mastication. Malgré cette précaution, quand il mordit dedans, son râtelier se décrocha. Il faillit le perdre et porta la main à sa bouche pour le remettre en place. Martine avait sûrement aperçu son geste. Il en fut ulcéré. Le sang de la honte lui monta au visage. Il n'osait plus regarder la jeune femme. Vite, vite, rentrer chez soi, ne plus voir personne ! Sauf Zénaïde Antonovna à qui il n'avait plus rien à cacher. Mais voici qu'Huguette brandissait une bouteille thermos. Du café chaud. Elle avait tout prévu.

Enfin Nicolas et Boris s'inquiétèrent de l'heure. Il fallait décamper immédiatement si on voulait éviter les embouteillages du retour sur Paris. Igor Dimitrievitch, qui était venu dans l'auto de Boris et d'Huguette, insista pour repartir dans celle de Nicolas et de Martine. Huguette en parut mortifiée. Mais il tint bon, prétextant une meilleure commodité des sièges dans la voiture de son fils aîné. On l'installa à l'avant, à côté de Nicolas qui conduisait, Martine et Zénaïde Antonovna prenant place sur la banquette arrière. Pendant tout le trajet, qui lui parut interminable, il grelotta, la poitrine oppressée, la tête en feu. Muré dans son malaise, il ne prit aucune part à la conversation des autres. Même la voix de Martine, au timbre profond et comme velouté, ne le troublait plus.

A sept heures du soir, la voiture s'arrêta enfin avenue Bosquet, devant la maison. Il y avait des années qu'Igor Dimitrievitch n'était rentré chez lui si tard. Le crépuscule, les lampadaires allumés, les phares glissants des autos, tout cela lui paraissait irréel, fantasmagorique, inquiétant. Il n'était plus à sa place dans cet univers fulgurant et brutal. On s'embrassa dans la rue. Zénaïde Antonovna demanda aux « jeunes » :

— Vous ne montez pas un moment ?

— Non, non, nous dînons chez des amis, dit Nicolas.

Igor Dimitrievitch reçut cette nouvelle comme une bénédiction. Bien qu'il habitât au premier étage, il prit l'ascenseur. A peine fut-il dans sa chambre qu'il s'affala sur le lit. Il haletait. Inquiète, Zénaïde Antonovna exigea qu'il prît sa température. Il s'était toujours opposé à la manie française d'introduire des thermomètres dans les derrières. A son avis, c'était une pratique barbare et répugnante. Selon l'usage russe, il glissa le thermomètre sous son aisselle et serra son bras contre son flanc. Au bout de cinq minutes, il tendit le thermomètre à Zénaïde Antonovna en disant :

— Combien ?

Pour la température axillaire, la normale était de trente-six degrés six. Zénaïde Antonovna descendit les lunettes sur son nez, inclina le petit tube de verre en tous sens et annonça d'un ton tragique :

— Trente-sept huit.

Puis, sans un mot, elle se dirigea vers le télé-phone.

— Qu'allez-vous faire ? demanda-t-il.

— Téléphoner au docteur.

— Vous n'allez pas le déranger pour ça ! Donnez-moi de l'aspirine et ce sera fini !

Tout en protestant, il craignait qu'elle ne lui obéît. Mais elle forma le numéro sur le cadran. Il renversa la tête sur l'oreiller et se réjouit de cette vigoureuse mainmise sur sa personne.

6

Le train ralentit et tressauta sur un aiguillage. On approchait de la gare. Dans quelques minutes, Igor Dimitrievitch allait retrouver Hélène qui était, depuis un mois, en villégiature à Kislovodsk avec les enfants. Resté à Moscou pour affaires, il lui avait écrit chaque jour. Mais il ne lui avait pas tout dit dans ses lettres : sur les conseils d'un groupe d'amis, il avait légèrement modifié sa physionomie. Quand Hélène l'avait quitté pour se rendre au Caucase, il portait une moustache dont les pointes, retroussées au fer, s'incurvaient en volutes élé-gantes au-dessus de sa lèvre. Une bigotelle en tissu transparent les appliquait pour la nuit sur la peau de ses joues. Au matin, il retirait ce mince bandeau et la moustache apparaissait, lisse, luisante, comme dessinée au pinceau par un artiste chinois. Depuis, les ciseaux du coiffeur l'avaient rognée aux extrémités selon la « mode américaine ». Elle n'était plus qu'une petite brosse horizontale aux poils drus. Au premier regard dans la glace, Igor

Dimitrievitch avait jugé que cette transformation lui donnait un air plus moderne. Il en était moins sûr maintenant. Peut-être aurait-il dû prévenir Hélène au lieu de la mettre devant le fait accompli ? Sur le point d'affronter le jugement de sa femme, il se découvrait à la fois égayé et inquiet.

Elle était là, sur le quai, entre Nicolas et Boris en costumes marins. Svelte, radieuse, elle portait une robe d'été en dentelle blanche et un grand chapeau orné de fleurs des champs. Dès l'arrêt du train, Igor Dimitrievitch sauta à terre et se dirigea vers elle, tandis qu'un porteur s'occupait de ses bagages. Mais, à mesure que la distance entre eux diminuait, le regard d'Hélène se dilatait, se glaçait dangereusement. Sa beauté devenait hostile, raide, marmoréenne. Quand il se pencha pour l'embrasser, elle eut un mouvement de recul. Comme si, avec cette nouvelle moustache, il fût devenu pour elle un étranger. Les sourcils noués, la mâchoire dure, elle demanda :

— Que signifie cette mascarade ?

— Ça ne te plaît pas ?

— Non.

— Pourtant tout le monde, à Moscou, trouve que ça me va mieux.

— Qui est-ce : « tout le monde » ? Tatiana Gavrilovna sans doute ?

Elle avait lancé ce nom avec une perfidie sifflante. Depuis longtemps, elle reprochait à Igor Dimitrievitch d'être trop sensible aux avances de cette allumeuse. En vérité, c'était bien Tatiana Gavrilovna qui, au cours d'un dîner chez des amis, lui avait conseillé de se faire tailler la moustache. Néanmoins il nia avec une violence qui ressemblait à de la sincérité :

— Absolument pas !

— Qui alors ?

— Je ne sais pas, moi... Les uns et les autres... J'ai cru bien faire...

— Tu aurais pu me demander mon avis !

— J'ai voulu te réserver une surprise.

— Eh bien, tu as réussi. Mais c'est une mauvaise surprise !

Elle était vraiment outrée. Pour la seconde fois, il tenta de la prendre dans ses bras. Et, pour la seconde fois, elle le repoussa. Les enfants assistaient, stupéfaits, à cette dispute dont ils ne comprenaient pas le sens. Igor Dimitrievitch les embrassa distraitement. Conscient de sa faute, il maudissait l'idée qu'il avait eue de sacrifier les pointes de sa moustache et ne savait quelle excuse invoquer pour ramener le sourire sur les lèvres de sa femme. Une calèche les attendait devant la gare. Hélène refusa la main qu'il lui tendait pour l'aider à monter en voiture. De tout le trajet jusqu'à la villa, située au lieu-dit des « Roches-Rouges », elle ne desserra pas les dents. Il était assis à côté d'une ennemie. Assurément, elle était décidée à lui faire payer cher cette lubie qu'elle considérait comme une offense personnelle. Elle le bouda ainsi pendant une semaine. Comment s'opéra le pardon ? Igor Dimitrievitch ne s'en souvenait plus. Couché dans son lit, la nuque soutenue par des oreillers, il fouillait sa mémoire dans l'espoir de débusquer quelques images de ce temps heureux. Les détails lui échappaient. Mais il ressentait encore la joie immense, salvatrice de la réconciliation. C'était hier. En 1912 ou 13. Au mois d'août. Ils avaient fêté l'événement au restaurant du Kursaal. Orchestre langoureux, serveurs empressés, champagne glacé en fines aiguilles selon la mode russe. Radoucie, Hélène regardait son mari avec des yeux de fiancée.

Elle avait même accepté qu'il portât désormais une moustache écourtée. Une circonstance l'étonna : s'il se rappelait avec précision les moments de tendresse avec Hélène, il ne pouvait se représenter ceux de l'amour physique. Impossible de revoir leurs corps nus, enlacés dans la possession, de revivre l'éclair de la jouissance. Tout se passait comme s'il n'avait jamais aimé sa femme charnellement. Comme s'ils étaient deux êtres immatériels, sans sexe et sans appétits. C'était une amputation indolore de la mémoire. Il fallait absolument raconter à Martine l'histoire de la moustache. Quand reviendrait-elle le voir ? Depuis trois jours, il se sentait mieux. La fièvre était tombée grâce aux antibiotiques. Le docteur Philippov avait diagnostiqué un genre de bronchite, une « pneumopathie » selon son expression. A l'âge d'Igor Dimitrievitch, cela pouvait être néfaste pour le cœur. Mais la charpente était solide. Sans doute avait-il pris froid lors de cette absurde partie de campagne. Une toux ronflante lui déchira la poitrine. Il cracha dans un grand mouchoir. Zénaïde Antonovna en avait disposé une pile sur la table de nuit. Puis il vérifia les montres qui l'entouraient. Toutes étaient à l'heure. Rien à redire. Demain, il exigerait de se lever. Mais pouvait-il encore exiger quelque chose ? A Kislovodsk, l'air de la montagne était si vif que même les vieillards avaient des poumons de vingt ans. L'Elbrouz imposait à l'horizon son impériale architecture de brume et de neige. On buvait une eau gazeuse, ferrugineuse, le « Narzan », qui, disait-on, était souveraine pour la guérison de tous les maux. Une foule élégante se pressait dans les salles de l'établissement thermal. Cette même foule s'était retrouvée là en 1919, fuyant l'avance des armées bolcheviques. Tous les hôtels, toutes les villas étaient bondés de familles échappées à l'horreur et avides d'oubli. C'était l'ultime flambée de bonheur avant l'exil. Pour conjurer l'obsession de la catastrophe, on nouait des intrigues sentimentales sans lendemain, on dépensait son dernier argent dans les restaurants, on faisait des excursions en voiture vers le château de la Ruse et de l'Amour, vers la Grande Cataracte, vers la montagne de l'Anneau. Certains s'habillaient en Tcherkesses. Igor Dimitrievitch lui-même montait à cheval dans cette tenue. Il avait quarante-quatre ans à l'époque. L'âge de la vigueur, de la pleine conscience et de la décision. N'avait-il pas une photo de lui en costume caucasien ? Où l'avait-il fourrée ? Il questionna Zénaïde Antonovna.

— Comment voulez-vous que je sache ? dit-elle. Je ne mets jamais le nez dans vos affaires !

Il renonça à en savoir davantage. D'ailleurs, qu'aurait-il de plus s'il retrouvait cette photo ? A trop remuer le passé, on perd le goût du présent. Pour l'instant, ce qui comptait avant tout, c'était sa guérison. Il avait eu très peur au paroxysme de la maladie. Peur de quoi ? De la mort ? Il la savait prochaine. En temps normal, il en acceptait l'idée avec sérénité. Et même, certains jours, avec espoir. Mais, devant une menace précise, l'animal, en lui, prenait le dessus. Contre toute raison, il voulait continuer à vivre. De minuscules plaisirs défilaient dans sa tête et le retenaient au bord de l'abîme : le petit déjeuner au réveil, la sieste de l'après-midi, les montres qui tictaquaient autour de sa couche, la visite de ses fils... Peut-être viendraient-ils ce soir ? A moins qu'ils ne prissent de ses nouvelles par téléphone. A six heures, comme ni l'un ni l'autre ne l'avaient appelé, il se dit gaiement qu'il allait les voir. Et, en effet, dix minutes plus tard, Nicolas et

Martine étaient à son chevet. Il regretta de se montrer à elle dans son lit, vêtu d'un pyjama chiffonné et les cheveux en désordre. Même il voulut se lever. Mais Zénaïde Antonovna s'y opposa. Elle servit le thé dans la chambre, sur une table roulante. Après quelques propos de saison, Igor Dimitrievitch profita d'un silence pour évoquer l'anecdote de la moustache taillée. Il le fit avec humour. Martine en parut très amusée. Nicolas, qui connaissait l'histoire pour l'avoir entendue cent fois, feignit cependant de s'y intéresser.

— Et vous n'avez plus jamais changé la forme de votre moustache ? demanda Martine.

— Jamais, dit-il. Mais ma femme, quelques années plus tard, en 1925 je crois, m'a rendu la pareille en se faisant couper les cheveux sans m'en avertir !

Il s'apprêtait à relater cet autre événement, lorsque Zénaïde Antonovna intervint tout à trac pour raconter la façon dont elle-même avait sacrifié sa superbe chevelure qui lui « tombait jusqu'aux reins », et la colère de son mari en la voyant coiffée à la dernière mode. Après quoi, sans reprendre son souffle, elle décrivit sa rencontre, à Odessa en 1917, avec cet homme dont elle allait « porter le nom et partager la vie » :

— C'était à une vente de charité. En tant que jeune fille de la haute société, j'étais chargée du comptoir des fleurs. J'avais dix-sept ans à peine. Et, je puis bien le dire aujourd'hui, j'étais agréable à regarder. Tout à coup, je vois un officier qui s'avance vers moi avec des yeux de braise. Il est beau. Il porte beaucoup de décorations sur la poitrine. Sans un mot, il m'achète tout mon étalage de fleurs. Puis il me dit : « Vous n'avez plus rien à vendre, venez danser. » Nous sommes partis dans un tourbillon fou !

Martine écoutait ce radotage absurde avec la même attention que les histoires authentiques d'Igor Dimitrievitch. Il en fut vexé. De quel droit Zénaïde Antonovna venait-elle tout brouiller avec ses souvenirs personnels ? Elle lui volait son auditoire, elle lui gâchait son succès. Il eut envie de crier qu'elle mentait, qu'elle n'était pas d'une bonne famille, que son mari n'avait jamais été un officier, mais un sous-officier employé à de basses besognes, dans l'intendance, qu'il n'avait d'ailleurs jamais été décoré... Pourtant, il se retint. Il ne fallait pas la contrarier. Sinon elle pourrait se venger en le soignant moins bien. Il se trouvait à la merci de cette femme bavarde qu'il exécrait et qui, en l'absence de ses fils, était tout son horizon. Après qu'elle eut retracé, d'une voix mouillée, les débuts de son mari en France, comme simple ouvrier chez Renault, « alors qu'il avait une situation tellement élevée en Russie », sa maladie, sa mort prématurée, il lui coupa brutalement la parole pour reprendre le fil de son propre récit. Lui aussi avait des choses à raconter sur la vie en exil, à Paris. Craignant qu'elle ne l'interrompît, il parlait vite, mangeant les mots, bafouillant presque. Il disait le courage, la dignité des émigrés russes, malgré les avanies de l'administration française, leur amertume lorsque la France avait reconnu officiellement le gouvernement de l'U.R.S.S. et qu'il avait fallu céder aux rouges l'ambassade de la rue de Grenelle, leur indignation en apprenant l'enlèvement du fameux général blanc Koutiépov par des agents soviétiques, à la barbe de la police parisienne.

— Il aurait fallu perquisitionner à l'ambassade soviétique, dit-il. Le gouvernement français —

c'était Tardieu, je crois — n'a pas osé. Nous autres, les émigrés, nous étions consternés par l'audace des bolcheviks et par la faiblesse des autorités françaises. Ce sont des bandits ! La presse en a beaucoup parlé à l'époque. Qui s'en souvient maintenant ? Et l'assassinat de Paul Doumer par Gorgoulov ! Quelle chose horrible pour toute l'émigration ! Un soi-disant Russe blanc tuant le président de la République française. Ce crime d'un fou rejaillissait sur tous ses compatriotes. Les journaux nous accablaient. Je me rappelle un titre : « La main d'un étranger a mis le drapeau français en berne. » J'étais un de ces étrangers, et ma femme, et mes fils. La France qui nous avait accueillis était en droit maintenant de nous détester, de nous rejeter...

Martine avoua qu'elle ignorait tout de ces événements. Il n'en fut pas surpris : elle était si jeune ! Il était pour elle une roche couverte de dessins préhistoriques. Elle avait entendu dire que les années 1925 avaient été la grande époque des cabarets russes de Paris.

— C'est vrai, dans un certain sens, répondit-il. Mais l'émigration, ce n'étaient pas les cabarets russes, c'étaient l'usine, les chambres de bonne, les réunions d'anciens officiers sous le portrait du tsar, les rencontres, le dimanche matin, devant l'église de la rue Daru...

Elle l'écoutait, les yeux brillants de curiosité et de sympathie. Il avait l'impression grisante de l'entraîner par la main dans les méandres de sa mémoire. Jamais Nicolas et Boris ne l'avaient interrogé avec cette passion déférente. Quant à Joséphine, à Huguette, à Bernard, à Muriel, ils étaient totalement hermétiques au passé russe de la famille. Soudain il se dit que cette Martine, qu'il connaissait à peine, était plus proche de lui que tous les autres. Il n'avait plus seulement deux fils mais aussi une fille. Interloqué par cette idée, il émergea de sa rêverie rétrospective et demanda :

— Quand vous mariez-vous ?

— Mais, papa, dit Nicolas, le divorce n'a pas encore été prononcé. Nous devons attendre.

— On ne peut pas hâter ça ?

— L'avocat fait ce qu'il peut.

— Bien, bien, grommela Igor Dimitrievitch.

Dans son exaltation, il avait oublié la malheureuse Joséphine. Il se le reprocha un court instant. Puis il songea qu'à son âge chaque délai comportait un risque et qu'il avait toutes les raisons d'être pressé de voir Nicolas remarié avec une personne aussi aimable que Martine.

Le couple resta jusqu'à sept heures et demie. Aussitôt après son départ, Boris téléphona qu'il ne pourrait pas passer dans la soirée. Peut-être demain... Igor Dimitrievitch n'en fut pas autrement déçu. Il avait eu sa dose de tendresse. La fatigue le gagnant, il n'aspirait plus qu'à un dîner léger et à un sommeil sans accrocs. Zénaïde Antonovna le servit au lit, lui apporta une cuvette et un broc pour se laver les mains et se rincer la bouche, retapa ses oreillers, arrangea ses couvertures, le conduisit jusqu'aux cabinets, le ramena dans sa chambre, le coucha, le borda. Il se laissait faire, attentif à la répétition exacte du cérémonial. Avant de fermer les yeux pour la nuit, il retira son dentier. Ce fut Zénaïde Antonovna qui le mit à tremper dans le verre. Après une courte éclipse, due au passage des « jeunes », elle régnait de nouveau sans partage.

7

Une lettre de Joséphine. Igor Dimitrievitch la relut à trois reprises avant de comprendre que la jeune femme s'était réfugiée à Marseille, auprès de sa mère, pour se reposer de « cette sale histoire », et qu'elle avait hâte de savoir s'il avait pu « parler utilement » à Nicolas. Très embarrassé par le retour à la surface d'une personne qu'il croyait définitivement noyée dans l'oubli, Igor Dimitrievitch hésitait sur le parti à prendre. Bien entendu, il ne pouvait être question de mettre Nicolas au courant de cette situation épineuse. Il éclaterait, une fois de plus, et défendrait à son père de répondre. Or, Igor Dimitrievitch estimait que la moindre des politesses consistait à ne pas laisser sans écho cet appel au secours. Il avait été — il était encore — le beau-père de Joséphine. Ce n'était pas parce que son fils l'avait répudiée qu'il devait la traiter en étrangère. Il décida de régler l'affaire lui-même. Mais écrire — et de plus en français ! — était pour lui une gageure. Sa main tremblante ne savait plus guider un stylo. Il pria donc Zénaïde Antonovna de prendre la lettre sous sa dictée. Comme elle n'avait aucune connaissance de l'orthographe, il lui épelait chaque mot à son idée avec lenteur. Joséphine excuserait les fautes en faveur de l'intention. Il voulait un texte bref et précis : « Chère Joséphine, j'ai essayé. Rien à faire. C'est inutile d'insisté. Je regrete. » Assise à la table de la salle à manger, en face d'Igor Dimitrievitch, Zénaïde Antonovna écrivait péniblement, vieille écolière, le dos rond, la tête inclinée. On devinait son crâne blême entre les mèches de ses cheveux teints.

— N'est-ce pas un peu sec ? demanda-t-elle.

— Non, dit Igor Dimitrievitch. Elle doit comprendre que c'est fini. Et puis, écrire plus longuement, en français, je ne saurais pas !

Zénaïde Antonovna lui donna la lettre à signer. Il ajouta de sa main : « Afectueusement comme toujour », et gribouilla, au bas de la page, un paraphe illisible. Entre-temps, elle avait rédigé l'adresse. Il glissa lui-même le feuillet dans l'enveloppe et insista pour que Zénaïde Antonovna se rendît immédiatement à la poste. Elle partit en bougonnant que « ça ne pressait pas » et qu'elle avait « beaucoup de choses plus importantes à faire à la maison ». Quand elle revint, il éprouva un apaisement profond. Le couperet était tombé. Joséphine n'existait plus.

*

Le bébé de Muriel naquit le 27 avril. Un garçon : Thibaut. Décidément, Igor Dimitrievitch ne pouvait s'habituer à ce prénom. Ce fut Bernard qui lui téléphona la nouvelle. Il exultait au bout du fil : « Vous avez un arrière-petit-fils ! Muriel a très bien supporté l'accouchement ! L'enfant est superbe : sept livres ! » Igor Dimitrievitch avait beau se battre les flancs pour arriver à une joie raisonnable, tout, en lui, demeurait froid. Ce nouveau venu dans le monde ne lui était rien. Comment s'intéresser à un être qu'il ne verrait même pas grandir ?

Zénaïde Antonovna insista pour qu'il téléphonât à la clinique afin de féliciter Muriel. Il se défendait :

— C'est trop tôt !... Je vais la déranger...

— Vous n'y connaissez rien, Igor Dimitrievitch ! Une jeune accouchée a besoin de se sentir entourée, choyée...

D'autorité, elle forma le numéro de téléphone sur le cadran. Igor Dimitrievitch, au supplice, bredouilla quelques compliments passe-partout que sa petite-fille reçut avec une allégresse excessive. Après quoi il lui fit envoyer des fleurs. Il congratula également Boris et Huguette. Tout le clan était en effervescence. Il n'y en avait plus que pour le nourrisson. Au milieu de cette agitation euphorique, Igor Dimitrievitch se sentait délaissé, frustré. Boris lui proposa de l'emmener voir Muriel et le bébé. Il refusa : son état de santé ne lui permettait pas de sortir. Une toux rauque le secouait malgré les remèdes. Son cœur avait des à-coups qui le laissaient essoufflé, étourdi, perclus d'angoisse. Sur le conseil du docteur Philippov, il prenait matin et soir des gouttes de digitaline. Zénaïde Antonovna se rendit à la clinique à sa place. Elle était fière de son rôle d'ambassadrice.

En son absence, il éprouva la montée d'une panique incoercible. Seul dans l'appartement silencieux, il redoutait, à chaque instant, un malaise ou l'intrusion d'un cambrioleur. Le moindre bruit inhabituel le hérissait d'effroi dans son lit. Il regrettait de n'avoir pas une arme à portée de la main. En Russie, pendant la révolution, il glissait chaque soir un revolver sous son oreiller. Aujourd'hui, les yeux écarquillés sur le vide de la chambre, il écoutait, victime offerte, le tic-tac multiple et minuscule des pendulettes et se recroquevillait sous le poids d'une menace qu'il ne savait pas définir. Tout son être était crispé dans l'impatience de revoir Zénaïde Antonovna. Il attendait son retour comme un amoureux, ou plutôt comme un enfant chétif. Tourmenté par l'envie d'uriner, il se retenait, crainte de ne pouvoir franchir l'espace qui le séparait des cabinets. Enfin, à bout de résistance, il se leva et, s'appuyant d'une main sur sa canne, de l'autre sur les meubles, il se dirigea, à petits pas traînants, vers les w.-c. A deux reprises, il faillit glisser sur le plancher du couloir. Malgré le fort besoin qu'il avait ressenti, il ne put émettre que quelques gouttes.

Déçu, il retourna à son lit en haletant. Une fois recouché, il perçut de nouveau une sorte de tremblement intérieur. Pour se distraire, il essaya de se rappeler les circonstances de la venue au monde de Nicolas et de Boris, à Moscou. Mais ses souvenirs se chevauchaient, se déchiraient. Les deux fois, Hélène avait accouché à la maison. C'était le docteur Vassiltchikov qui l'avait assistée. Toute la domesticité était en émoi. On avait étalé de la paille dans la rue, sous les fenêtres, pour assourdir le bruit des voitures. Igor Dimitrievitch, transi d'anxiété, attendait dans son cabinet de travail. De temps à autre, il levait un regard implorant vers l'icône. Enfin un vagissement. L'apparition triomphale de la sage-femme. « C'est un garçon, Igor Dimitrievitch ! » Sa joie, sa fierté. Comme s'il avait été le premier homme au monde à être père. Le visage las et heureux d'Hélène dans la demi-obscurité de la pièce où régnait une odeur de fièvre. Au moment où il allait l'embrasser, tout se brouilla dans son cerveau. Il se retrouva, allongé, les yeux pleins de larmes, dans sa chambre, à Paris. Un bruit de pas dans le vestibule. Non, c'était chez les voisins ! Déjà cinq heures et quart. Pourquoi Zénaïde Antonovna n'était-elle pas encore rentrée ? Elle ne pouvait s'attarder outre mesure au chevet d'une accouchée. Et si elle avait eu un accident sur le chemin du retour! Renversée par une voiture! Que deviendrait-il sans elle? D'avance, il vivait la catastrophe. Il décida de téléphoner à la clinique pour savoir si elle y était encore. Au moment où il allait le faire, le bruit de la porte palière le retint. Instantanément, il oublia sa peur pour ne retenir que l'indignation d'avoir été si longtemps abandonné.

Zénaïde Antonovna apparut, radieuse et comme renouvelée par l'air du dehors. Bien qu'on fût au printemps, elle portait son manteau de lapin et un drôle de bonnet tricoté en laine rose, agrémenté de cerises également tricotées.

— Tout s'est-il bien passé en mon absence? demanda-t-elle gaiement.

Il mentit, par dignité :

— Très bien.

— Vous n'avez eu besoin de rien?

— Non.

Il ne fallait pas qu'elle se crût indispensable. Elle n'avait que trop tendance à se gonfler dans la maison.

— Eh bien, moi, dit-elle en retirant son manteau et son bonnet, je puis vous annoncer que votre arrière-petit-fils est magnifique! Solide, potelé, un vrai bébé de celluloïd! Et si sage! Je l'ai pris dans mes bras. Il m'a souri. Tout le monde trouve qu'il vous ressemble. Le front, la bouche...

Igor Dimitrievitch s'en voulait de n'être pas plus ému. Cette prétendue ressemblance entre le nouveau-né et lui, loin de l'attendrir, l'agaçait comme une preuve de l'abêtissement enamouré de son entourage. Triomphante, Zénaïde Antonovna tira de son réticule une photo du bébé, prise par Bernard quelques heures après l'accouchement, et la tendit à Igor Dimitrievitch : un petit singe à la face plissée et cramoisie et aux poings fermés.

— N'est-ce pas qu'il est beau ? s'écria-t-elle.

Elle bredouillait d'enthousiasme devant ces « petites mains », ces « petits pieds » d'une perfection « divine ».

— Je l'aurais mangé ! conclut-elle avec un air de cannibalisme maternel qui le révolta.

Il dut encore subir un long discours sur Muriel, qui était en pleine forme, rajeunie, embellie :

— Elle a décidé d'allaiter elle-même son bébé ! C'est bien !

— Très bien, approuva Igor Dimitrievitch.

Et il songea que, de son temps, en Russie, les femmes de qualité confiaient ce soin alimentaire à des nourrices venues de la campagne et contrôlées par le médecin de famille. C'était tout de même plus élégant pour les mères que l'obligation de déboutonner son corsage et de donner le sein, à heure fixe, à un marmot goulu.

— Quand vous verrez votre Thibaut, vous serez fou de lui ! dit-elle encore.

Et elle ajouta, avec un soupir de regret :

— Evidemment, il sera baptisé catholique !

Il le déplora aussi. Bien que peu pratiquant, il était traditionnellement attaché aux rites de l'Eglise orthodoxe. En vérité, il était surtout sensible à la majesté des offices, à la beauté des chants. Depuis que son âge l'empêchait de se rendre, chaque dimanche matin, à la cathédrale de la rue Daru, il avait l'impression qu'un élément essentiel manquait à sa vie. Une ponctuation de lumière, un souffle d'au-delà dans le défilé grisâtre des jours. Il aimait aussi les rencontres avec d'autres émigrés, les bavardages, après la messe, dans la boutique russe d'en face, où l'on vidait un verre de vodka en croquant des pirojki dodus avant de rentrer à la maison. Reverrait-il un jour la cathédrale de la rue Daru, sa coupole dorée, son petit jardin ? Il en doutait. Le cercle se rétrécissait autour de lui. Une à une, toutes ses joies de jadis lui étaient retirées. Et les nouveautés qu'on lui offrait, tel ce bébé tardif, ne pouvaient compenser les pertes. Il déposa la photographie sur la table de chevet.

— Voulez-vous que je lui achète un cadre ? demanda Zénaïde Antonovna.

— On verra ça plus tard, grogna-t-il.

— Quand on l'amènera ici, je prendrai une photo de lui dans vos bras. Les deux extrémités de la chaîne : le plus ancien et le plus jeune !...

— On ne l'amènera pas ici, dit-il abruptement. Je suis malade. Je lui passerais mes microbes.

— Vous n'avez pas de microbes.

— Qu'est-ce que vous en savez ?

— Eh bien, nous attendrons que vous soyez guéri !

— Je ne guérirai jamais.

— Mais si, mais si ! Ne soyez pas pessimiste. Le docteur Philippov vous l'a bien dit : vous avez un fonds de santé exceptionnel. Je vais préparer votre thé.

C'était la première phrase raisonnable qu'elle eût prononcée depuis son retour.

— Auparavant, voulez-vous que je vous aide pour aller aux cabinets ? reprit-elle.

— J'y suis déjà allé par moi-même, dit-il avec reproche.

*

Quelques jours plus tard, alors qu'Igor Dimitrievitch, assis dans son lit, étalait des cartes sur un plateau, Nicolas et Martine lui rendirent visite à l'improviste. Il en fut importuné car il était sur le point de réussir sa patience. Comme il ne pouvait continuer devant eux, il pria Zénaïde Antonovna de déposer le plateau, sans déranger le jeu, sur une table. Elle s'exécuta et, selon son habitude, voulut servir une tasse de thé. Mais Nicolas et Martine refusèrent. Ils étaient pressés. Eric, le fils de Martine, attendait en bas, dans la voiture. Aussitôt, Zénaïde Antonovna insista pour qu'on fît monter le garçon.

— Il va vous déranger ! dit Martine.

— Mais non ! s'écria Zénaïde Antonovna. Igor Dimitrievitch sera ravi de le connaître !

Pris au dépourvu, Igor Dimitrievitch opina de la tête. Nicolas descendit chercher Eric et revint bientôt, flanqué d'un garçon d'une douzaine d'années, aux grands yeux noirs et aux cheveux bouclés. Paralysé de timidité, l'enfant dit bonjour du bout des lèvres, s'assit dans un coin et fixa sur Igor Dimitrievitch un regard d'étonnement stupide. Visiblement, ce vieillard l'effrayait. Il était au zoo devant un animal inconnu. Observé avec cette intensité, Igor Dimitrievitch se sentait lui-même gagné par la gêne. Il dit à Martine que son fils lui ressemblait — ce qui était vrai —, interrogea Eric sur ses études et, au bout d'un moment, se désintéressa de ce petit intrus. Néanmoins, au cours de la conversation, il nota que Nicolas et Eric se tutoyaient et que Martine les couvait tous les deux avec un air de gratitude et de tendresse. Une nouvelle famille se construisait sous ses yeux. Nicolas, n'ayant pas eu d'enfant avec Joséphine, était probablement ravi, à son âge, d'endosser le rôle du père. Curieusement, le bonheur des autres accentuait chez Igor Dimitrievitch la notion de sa solitude.

Sur le point de prendre congé, Nicolas lui confia qu'il était inquiet. Des désordres avaient éclaté à l'Université. Le mécontentement gagnait les usines. Igor Dimitrievitch n'attacha aucune importance à ces propos alarmistes. Nicolas était très chatouilleux dès qu'on critiquait la politique du gouvernement.

Lorsque le trio fut parti, Zénaïde Antonovna rapporta le plateau avec les cartes. Igor Dimitrievitch se remit à sa patience. Mais la présence de Zénaïde Antonovna l'empêchait de se concentrer. De temps à autre, elle intervenait même effrontément dans le jeu, en pointant un doigt :

— Votre dix de pique, là, pourquoi ne le placez-vous pas sur le valet de cœur ? Ça dégagerait tout !

— Laissez-moi, je vous en prie, bougonnait-il. C'est *ma* patience !

— Si je vous aide, c'est que vous n'y voyez pas très clair !

— J'y vois aussi clair que vous ! Peut-être même plus !

Au bout d'un moment, elle cessa de l'importuner et apporta sa boîte à couture. Il termina sa patience en sifflotant. L'ayant réussie, il éprouva l'impression absurde qu'un événement heureux allait survenir dans sa vie. Mais lequel ? A son âge, il ne pouvait plus rien souhaiter. La prospérité pour ses enfants, un rétablissement de sa santé, quelques années de plus à vivre ?... Tout lui paraissait vain. Il brouilla les cartes et commença une autre patience, plus difficile, sous l'œil critique de Zénaïde Antonovna qui, assise à son chevet, recousait les boutons d'une chemise.

8

Quand Nicolas lui annonça que le divorce était enfin prononcé, Igor Dimitrievitch demeura un instant perplexe. Il ne savait s'il devait se réjouir parce que son fils était enfin libre d'épouser Martine ou s'attrister parce que ce jugement tant attendu brisait un lien très ancien et, somme toute, honorable. D'une manière bizarre, il lui semblait que le moindre changement dans la vie de son entourage le rapprochait, lui, imperceptiblement, de la mort. Plus les autres s'agitaient pour profiter de l'existence, plus il se sentait inerte, lointain, exclu, condamné. Néanmoins, il fit bonne figure. Cette fois, Nicolas était venu seul, en sortant du bureau. Malgré sa joie d'être définitivement débarrassé de Joséphine, il avait une mine soucieuse. Les événements politiques de ces derniers jours le préoccupaient de plus en plus. Les désordres à la faculté de Nanterre, les clameurs contre l'arrestation de certains jeunes meneurs, l'arrogance des leaders étudiants bravant le pouvoir, le départ du Premier ministre Georges Pompidou pour l'Iran et l'Afghanistan sans tenir compte de l'agitation de la rue, tout cela, disait-il, laissait présager des lendemains difficiles. A son avis, le général de Gaulle était trop tolérant envers cette racaille adolescente qui se complaisait dans le chahut, le bavardage et la démolition. Au lieu de discuter avec des trublions de vingt ans, il fallait employer la force.

Tel était bien l'avis d'Igor Dimitrievitch. Après le départ de son fils, il rejeta les couvertures et se leva pour passer à table avec Zénaïde Antonovna. Mais les propos de Nicolas lui trottaient encore par la tête. Ayant fini de dîner, il se recoucha, se fit apporter son transistor, tourna le bouton et, tout à coup, tomba en pleine manifestation. Des barricades s'élevaient au cœur du Quartier latin. Les C.R.S. lançaient des grenades lacrymogènes. Au lieu de reculer, les étudiants ripostaient en jetant des pavés. De nombreux lycéens s'étaient joints à eux. Affolés, des parents se rendaient sur les lieux pour récupérer leur progéniture. Au dire du commentateur, les paisibles habitants des immeubles voisins sympathisaient avec les émeutiers, leur criaient des encouragements et les aidaient à combattre la police.

Igor Dimitrievitch écoutait ces informations haletantes avec l'impression qu'il se retrouvait en Russie aux pires heures de la guerre civile. La révolte des étudiants, les discours en plein vent, les barricades, tout recommençait ! N'avait-il fui les désordres de Moscou que pour subir, à quelque cinquante ans de distance, ceux de Paris ? Quelle rage enflammait la jeunesse, dans tous les pays du monde, contre l'autorité, contre la loi ? A entendre ces hurluberlus, ils ne pouvaient plus supporter la présence, au-dessus d'eux, des parents, des maîtres, des patrons, de tous ceux dont l'incontestable compétence justifiait la situation prépondérante. Ils ne voyaient de salut que dans la négation des hiérarchies et la destruction des élites. Et ce refus systématique se doublait d'une propension au dévoiement, à la paresse et à l'ordure. A Moscou, c'étaient les élèves officiers de l'Ecole militaire, les héroïques junkers, qui menaient le combat contre la populace. On les voyait se faufiler par petits groupes le long des trottoirs enneigés. Le fusil à la main, un brassard sur la manche, ils risquaient leur peau pour la survie du gouvernement provisoire. Igor Dimitrievitch avait ordonné de les ravitailler, à toute heure du jour, par le soupirail des cuisines. Par crainte des balles perdues et des éclats d'obus, on avait cloué des matelas aux fenêtres qui donnaient sur la rue. Des amis, habitant des quartiers plus exposés, étaient venus se réfugier chez les Lébédev. Il avait fallu dresser des lits de camp jusque dans les couloirs. A travers le crépitement de la fusillade, retentissait, de temps à autre, le bruit sourd et lointain du canon. Peu à peu, cependant, les combats, qui duraient depuis une semaine, tournaient à l'avantage des rouges. Epuisés, débordés, privés de renforts, les élèves officiers capitulaient, la rage au ventre. Aussitôt, la municipalité légitime était renvoyée en bloc et un simple soldat devenait commandant militaire de la circonscription de Moscou. Le même sort était-il réservé à Paris ? Ne fallait-il pas s'apprêter à boucler, une fois de plus, les valises ? Après avoir fui la Russie, fuir la France ? Mais pour aller où ? Penché sur son transistor, Igor Dimitrievitch se gorgeait de désespoir et gémissait :

— Mon Dieu ! Qu'allons-nous devenir ? Deux fois en une vie, c'est trop !

Zénaïde Antonovna tenta de lui démontrer qu'une émeute d'étudiants ne signifiait pas que la révolution menaçât la France.

— Tant que la police obéit au gouvernement, ce n'est pas grave ! dit-elle.

— Les policiers ne sont pas assez nombreux, répliqua Igor Dimitrievitch. Ils ont peur, ils laissent faire...

— Une seule chose est sûre, conclut Zénaïde Antonovna : il faut amasser des provisions. Je vais m'en occuper.

Son ton catégorique apaisa Igor Dimitrievitch et il consentit à s'endormir.

Cependant, dès le lendemain ses alarmes recommencèrent. La police avait bien pris d'assaut les barricades pendant la nuit, mais les étudiants ne baissaient pas les bras. D'accord avec certains professeurs, ils constituaient des commissions et tenaient des assemblées dans les facultés. Revenu d'Afghanistan, Georges Pompidou acceptait de discuter avec eux. Les jours suivants confirmaient cette impression d'anarchie. Nargué par la rue, le gouvernement ne contrôlait plus la situation. Coup sur coup, la radio annonçait l'occupation de la Sorbonne par les étudiants, l'occupation du théâtre de l'Odéon, l'occupation des lycées et de divers établissements d'enseignement supérieur, la grève aux usines Renault, des manifestations toujours plus houleuses, de nouvelles barricades, des échauffourées. « Encore heureux que j'habite un quartier calme! pensait Igor Dimitrievitch. Si je logeais du côté du boulevard Saint-Michel, en plein charivari, je deviendrais fou! » Malgré les éclats de la violence, le général de Gaulle avait refusé, par dignité, d'annuler son voyage en Roumanie. A son retour, la France était au plus bas. Igor Dimitrievitch le vit à la télévision, le 24 mai, annonçant, le visage fatigué, la voix grave, qu'il allait consulter le pays par référendum. Si le pays répondait « non » à ses propositions, il partirait. Affolé, Igor Dimitrievitch se dit que la France, comme jadis la Russie, était perdue. Visiblement de Gaulle en avait assez de conduire la destinée d'un peuple exigeant et ingrat. Le vieux lutteur n'aspirait plus qu'à la retraite.

Zénaïde Antonovna se félicitait d'avoir acheté à temps de l'huile, de la farine, du riz et du sucre. Tout le monde s'étant rué pour constituer des réserves, les commerçants dévalisés ne servaient plus leur clientèle qu'au compte-gouttes. Les transports urbains étaient paralysés. Des autocars militaires de remplacement trimbalaient vaille que vaille les passagers à travers la ville. Peu de voitures particulières roulaient encore dans les rues. Les cuves des pompistes étaient à sec. Nicolas et Boris ne se déplaçaient plus qu'à pied. La grève s'étendait aux établissements privés. L'une après l'autre, les banques fermaient leurs portes. Plus d'argent liquide, plus de courrier... Profitant de ce vaste remue-ménage, chacun demandait une augmentation de salaire, une diminution du temps de travail, un élargissement des droits syndicaux, un surcroît de liberté, un supplément de bonheur. Les immondices, n'étant plus enlevées par le service du nettoiement, s'accumulaient sur les trottoirs et les rats sortaient des égouts. Les journaux publiaient des photographies effrayantes : chaussées dépavées, voitures en flammes, C.R.S. en rangs serrés, noirs, compacts, moyenâgeux, avec leurs boucliers et leurs casques, fumée des grenades lacrymogènes, manifestants titubant sous les coups de matraque. Accouru chez son père, Boris déclarait que ce soulèvement massif prouvait la santé morale du peuple de Paris. La révolte des étudiants et des ouvriers, unis en un même combat, exprimait, disait-il, le grand espoir d'une nation excédée par un régime autoritaire qui n'était pas dans la tradition française. Il fallait céder le plus rapidement possible aux exigences de la rue. Les ministres actuels étaient incapables de comprendre la philosophie de ce mouvement. Seule l'arrivée au pouvoir d'une équipe de gauche pouvait ramener la paix dans les esprits et remettre la France au travail. En affirmant cela, Boris savait de quoi il parlait : il s'était rendu à plusieurs reprises au Quartier latin, lors des manifestations. Il avait écouté les harangues des orateurs improvisés au théâtre de l'Odéon. L'enthousiasme et la détermination des jeunes étaient admirables. Bien sûr, ils avaient quelque peu saccagé les lieux. Mais il en allait toujours ainsi dans les rassemblements populaires. L'expression publique des grands sentiments était inséparable d'un certain vandalisme. En revanche, Boris s'extasiait sur le génie spontané dont témoignaient les inscriptions anonymes sur les murs de la Sorbonne, de la nouvelle faculté de médecine, de Sciences Po, des lycées : « Sous les pavés, la plage... » « Il est interdit d'interdire... » « Vous finirez tous par crever de confort... »

Igor Dimitrievitch ne pouvait suivre son fils dans cette exaltation. Pour lui, de Gaulle était le rempart de la légalité ; l'abattre, c'était livrer la France aux révolutionnaires. Il essaya d'expliquer à Boris que les socialistes, avec leurs belles idées, faisaient toujours et partout le jeu des communistes, et que ceux-ci, une fois arrivés au pouvoir, se hâtaient d'étouffer les illuminés qui leur avaient inconsciemment préparé la voie. Il en avait été ainsi en Russie où les libéraux de tout poil, après avoir travaillé à la chute du tsarisme, avaient été emprisonnés ou fusillés. Quant aux plus chanceux de ces doctrinaires, ils s'étaient retrouvés en exil aux côtés des monarchistes dont ils avaient naguère combattu la cause. Mais Boris lui rétorqua péremptoirement que la France n'était pas la Russie et qu'une expérience politique ne se répétait jamais avec les mêmes résultats.

Là-dessus arriva Nicolas qui, en tant que gaulliste, était pour le maintien de l'ordre à tout prix. Une fois de plus, les deux frères s'affrontèrent devant Igor Dimitrievitch que leur dispute affligeait. Dressés de part et d'autre de son lit, ils le dominaient de leurs rudes voix d'hommes. Boris, les traits mous, la peau fade, le cheveu plat et châtain, Nicolas, sec et noir comme un corbeau, n'avaient plus rien de commun avec les enfants charmants qu'ils avaient été en Russie. Le tohu-bohu de la rue entrait avec eux dans la maison. Assourdi, Igor Dimitrievitch s'agitait entre ses draps et regrettait que Martine et Huguette ne fussent pas là pour calmer l'ardeur belliqueuse des deux adversaires. Après s'être jeté à la tête des arguments cent fois ressassés, Nicolas et Boris tombèrent d'accord sur la nécessité d'une solution rapide. Peut-être, disaient-ils, Georges Pompidou, qui avait pris l'initiative de réunir les représentants des patrons et des syndicats au ministère des Affaires sociales, rue de Grenelle, saurait-il trouver une formule d'apaisement. Ils quittèrent Igor Dimitrievitch ensemble en l'assurant que, quoi qu'il advînt, lui, à son âge et dans sa situation, ne risquait rien.

— Tout cela passera au-dessus de ta tête, papa, lui dit Nicolas en l'embrassant.

Quand ils furent partis, Igor Dimitrievitch renonça à rallumer son transistor. Ecœuré de politique, il s'abandonnait au fil de l'eau. Mais sa fièvre, faite de crainte et d'indignation, le reprit le lendemain. L'avenir de la France et le sien propre lui paraissaient suspendus aux résultats des négociations de Grenelle. Avec courage et ténacité, Georges Pompidou poursuivait les tractations. Commencées le samedi 25 mai, elles s'achevaient par un accord de principe le lundi 27 à l'aube, après une nuit entière de palabres. La paix sociale semblait donc restaurée, du moins provisoirement.

Mais vingt-quatre heures plus tard, au cours d'une conférence de presse, François Mitterrand annonçait que si, comme c'était probable, la réponse au référendum proposé par le général de Gaulle était négative, il serait personnellement prêt à assumer la présidence de la République après le départ de l'actuel chef de l'Etat et à constituer un gouvernement provisoire sans exclusive, autrement dit avec la participation des communistes. Le chef de ce gouvernement provisoire pourrait être Pierre Mendès France.

A peine Igor Dimitrievitch avait-il surmonté l'angoisse que représentait pour lui cette mesure d'accaparement du pouvoir par la gauche qu'une nouvelle stupéfiante éclatait dans son transistor : le général de Gaulle était parti, sans avertir personne, pour Colombey-les-Deux-Eglises. Mais — précision inquiétante — il n'était pas arrivé à destination. Nul ne savait où il se trouvait ni ce qu'il avait l'intention d'entreprendre. Georges Pompidou lui-même n'avait pas été mis dans la confidence. La France n'avait plus de chef d'Etat. C'était le champ laissé libre aux forces de la subversion. En entendant à la radio les déclarations des uns et des autres, Igor Dimitrievitch ne savait plus s'il était en France ou en Russie. A Petrograd, le palais de Tauride était envahi par les révolutionnaires qui s'y installaient aux côtés de la Douma et formaient le premier soviet des ouvriers et soldats, Cohn-Bendit, expulsé quelques jours auparavant, franchissait clandestinement la frontière franco-allemande et tenait une conférence de presse à la Sorbonne, Kerenski, lui aussi, parlait beaucoup pour s'efforcer de raisonner les bolcheviks, les ouvriers des usines Renault rejetaient le protocole de Grenelle, le grand-duc Michel Alexandrovitch télégraphiait au tsar pour le supplier de changer de gouvernement, une manifestation énorme, organisée par la C.G.T., parcourait les rues avec des pancartes : « Adieu de Gaulle ! » « A Colombey, qu'il y reste ! » « Démission ! » et « Pouvoir populaire ! » le tsar, pressé par ses familiers, par ses généraux, venait de signer son acte d'abdication, la Russie plongeait dans la nuit et le chaos.

Le jeudi 30 mai, alors qu'Igor Dimitrievitch, accablé, finissait de déjeuner au lit, Nicolas arriva, le teint animé, le regard agressif.

— Tu as entendu la nouvelle ? dit-il. De Gaulle est revenu. Il va parler à la radio cet après-midi, à quatre heures et demie.

Le regain d'espoir d'Igor Dimitrievitch fut si subit qu'il en ressentit comme une dilatation douloureuse dans la poitrine. L'accélération des événements secouait son organisme, minait sa résistance. Il constata que ses mains tremblaient et se mit à pleurer. Nicolas lui promit de rester avec lui pour entendre l'allocution présidentielle. De toute façon, ses bureaux étant occupés par le personnel en grève, il avait tout son temps.

Igor Dimitrievitch exigea de quitter son lit pour entendre le chef de l'Etat. Assis dans son fauteuil, face au transistor, il était tout béant, comme au seuil d'une révélation dont dépendait sa vie. Nicolas n'était pas moins ému que lui. Il s'étonnait que de Gaulle eût préféré la radio à la télévision pour s'adresser au pays. Toute la France serait à l'écoute. Une importante manifestation de soutien au Général devait se dérouler, à partir de six heures, place de la Concorde et sur les Champs-Elysées. Tout cela était de nature à renverser le cours de l'histoire.

Soudain la voix familière, profonde, impérieuse sortit de l'appareil et le cœur d'Igor Dimitrievitch se mit à battre précipitamment. Dès les premiers mots, il fut rassuré : « Françaises, Français, étant le détenteur de la légitimité nationale et républicaine, j'ai envisagé, depuis vingt-quatre heures, toutes les éventualités sans exception qui me permettraient de la maintenir. J'ai pris mes résolutions. Dans les circonstances présentes, je ne me retirerai pas. J'ai un mandat du peuple. Je le remplirai. Je ne changerai pas le Premier ministre, dont la valeur, la solidité, la loyauté méritent l'hommage de tous... »

Igor Dimitrievitch et Nicolas échangèrent un regard de triomphe. La voix sans visage continuait en annonçant la dissolution de l'Assemblée nationale, le report du référendum à une date ultérieure et des élections législatives au mois de juin. Après quoi, dénonçant les forces de subversion qui empêchaient « les étudiants d'étudier, les enseignants d'enseigner, les travailleurs de travailler », de Gaulle s'écriait : « La France, en effet, est menacée de dictature. On veut la contraindre à se résigner à un pouvoir qui s'imposerait dans le désespoir national, lequel pouvoir serait alors évidemment essentiellement celui du vainqueur, c'est-à-dire celui du communisme totalitaire... Eh bien, non ! la République n'abdiquera pas, le peuple se ressaisira. Le progrès, l'indépendance et la paix l'emporteront avec la liberté. Vive la République ! Vive la France ! » Les accents de *La Marseillaise* amplifièrent la magie des derniers mots. Igor Dimitrievitch redressa la taille et se mit, en pensée, au garde-à-vous. Dans les conditions actuelles, cet hymne français était presque aussi émouvant à entendre que *Dieu protège le tsar*. Après la dernière note, il poussa un soupir de soulagement et se signa d'une main lente en regardant l'icône.

— Maintenant, c'est gagné, dit Nicolas.

Il n'avait plus qu'une hâte : courir jusqu'à la place de la Concorde pour se joindre à la foule et manifester ainsi sa confiance au vieux chef que l'on croyait perdu dans ie brouillard et dont le brusque sursaut d'énergie venait sans doute, une fois de plus, de sauver la nation.

— N'est-ce pas dangereux ? demanda Igor Dimitrievitch. Il y aura peut-être des bagarres !

— Ne t'en fais pas, dit Nicolas. C'est trop important. Il faut que j'y aille !

Et il s'envola. Zénaïde Antonovna, les mains jointes, murmura :

— Que Dieu l'accompagne !

Ce fut encore la radio qui apporta à Igor Dimitrievitch les échos de la gigantesque manifestation gaulliste qui se déroulait de la Concorde à l'Etoile. Une lave humaine avait envahi la chaussée. Partout, des drapeaux tricolores, des banderoles : « De Gaulle n'est pas seul ! » « Le communisme ne passera pas ! » On chantait *La Marseillaise*. On hurlait en chœur des slogans hostiles à la gauche. Dans la cohue, notait le commentateur, à côté d'anciens combattants à la poitrine barrée de décorations, de F.F.I. reconnaissables à leurs brassards, de parlementaires ceints de l'écharpe tricolore, il y avait beaucoup de jeunes aux visages fiers et déterminés. C'était l'autre France. Celle qui refusait l'aventure.

Pendant qu'Igor Dimitrievitch écoutait le reportage à la radio, on sonna à la porte : Martine. Elle venait chercher Nicolas. En apprenant qu'il était à la manifestation, elle se mit à rire :

— J'en étais sûre !

Igor Dimitrievitch l'invita à prendre une tasse de thé.

— Il est bien tard ! dit-elle.

— Est-ce qu'on peut parler d'heure un jour pareil ? s'écria-t-il.

— Ce sera prêt dans cinq minutes, assura Zénaïde Antonovna.

Elle voulut recoucher Igor Dimitrievitch. Il refusa, disant qu'il se sentait mieux. Et, de fait, l'arrivée de Martine, survenant après le discours du général de Gaulle, l'avait requinqué.

Il était même secrètement heureux de la voir en dehors de son fils. Devant elle, il n'avait plus envie de parler politique. Ayant éteint le transistor, il la contemplait et pensait à sa femme, à sa jeunesse. Tout son passé remontait en lui avec un furieux besoin de se raconter. Mais il avait peur d'ennuyer sa visiteuse qui, sans doute, n'était venue que dans l'espoir de retrouver Nicolas. Alors il laissait bavarder Zénaïde Antonovna et se contentait de promener ses regards sur le frais visage de Martine, sur son cou gracile, sur ses mains sans taches. Hélène, il s'en souvenait avec précision, avait une peau blanche et rose, une de ces peaux délicates d'autrefois, préservées du soleil. Celle de Martine était mate, nacrée, ambrée. Une peau de femme moderne. Les idées d'Igor Dimitrievitch se brouillaient dans la fatigue d'une trop longue journée. Au milieu de ce méli-mélo, une seule certitude : après des heures de cauchemar, le ciel s'éclairait au-dessus de sa tête. Il n'était plus nécessaire pour lui de songer à un nouvel exil. Avec l'aide de Dieu, il pourrait achever sa vie en France. Il s'entendit balbutier :

— C'est fini pour les bolcheviks !

Et aussitôt il pensa que ce n'était pas cela qu'il avait voulu dire. Il serra sur sa poitrine les pans de sa robe de chambre. Les os de ses épaules, de ses bras lui faisaient mal. Ses poumons étaient encombrés. Son cœur cognait irrégulièrement. Il était trop vieux pour de telles émotions. Comme il suffoquait, Martine lui prit la main. Le contact de ces doigts légers et tièdes lui procura une impression de douceur, de tendresse presque insoutenable. Un peu plus tard, Martine aida Zénaïde Antonovna à le lever et à le conduire jusqu'à sa chambre. Mais, par pudeur, il pria la jeune femme de rester à la porte.

En le déshabillant, Zénaïde Antonovna lui fit remarquer que, sous sa robe de chambre aux bords flottants, sa braguette était ouverte. Cela lui arrivait souvent. A l'idée que Martine s'en était peut-être aperçue, il eut un moment de confusion. Puis il oublia sa gêne et se laissa coucher avec une satisfaction enfantine. Une fois au lit, il essaya de se rappeler quelle était la couleur des rideaux dans le salon de la villa de Kislovodsk.

9

Les élections de juin ayant marqué un franc succès pour les partis favorables au général de Gaulle, Igor Dimitrievitch se raffermit dans l'espoir. Après quelques soubresauts des étudiants et des ouvriers, la reprise du travail était à peu près complète dans toute la France. A l'approche des vacances, les soucis de la politique s'effaçaient devant un furieux désir d'évasion et d'oubli. L'essence était revenue comme par miracle. Georges Pompidou, félicité et mis « en réserve de la République », cédait la place, comme chef du gouvernement, à Maurice Couve de Murville. Le régime, un moment disloqué, resserrait ses boulons. Et Nicolas épousait Martine à la mairie.

Le jour du mariage, un déjeuner devait les réunir, avec leurs témoins et leurs amis, dans un restaurant russe. Après quoi, ils se rendraient chez Igor Dimitrievitch. Comme ils n'avaient pas précisé l'heure de leur visite, il renonça à faire sa sieste pour les attendre. Zénaïde Antonovna l'aida à s'habiller pour recevoir dignement son fils et sa nouvelle bru. Il choisit lui-même la tenue. Son costume bleu marine, trop large, pendait sur ses épaules osseuses. Sa chemise bâillait sur son cou étique, plissé, desséché, et sa cravate, maladroitement nouée, froissait son col au lieu de le maintenir en place. Une pochette blanche, dressée en oreille de lapin, ornait sa poitrine. Il avait lissé ses cheveux et parfumé sa moustache à l'eau de Cologne. Assis dans son fauteuil, devant la table de la salle à manger, il était figé dans l'expectative. Cette fois, pensait-il, la pauvre Joséphine était définitivement exclue de la famille. Cependant il n'avait plus le cœur à la plaindre. Il était trop heureux de l'arrivée de Martine dans le clan des Lébédev. En changeant de belle-fille, il lui semblait avoir acquis une seconde jeunesse. Il eût aimé, en ce grand jour, faire un cadeau de poids au nouveau couple. Mais quoi ? Plus rien ne lui appartenait en ce monde. Tout était resté en Russie. Pour tromper son impatience, il se fit apporter par Zénaïde Antonovna l'épaisse serviette de cuir noir, à fermoir d'acier, où il conservait les documents attestant son ancienne fortune. Il les consultait, de temps à autre, pour se convaincre que, jadis, il avait été quelqu'un. Avec précaution, il les étala devant lui sur la table : titres de propriété, contrats divers, rapports d'exploitation, inventaires, quittances, reconnaissances de dettes, comptes rendus de conseils d'administration, lettres de change... Il avait tout classé, tout répertorié. Son passé financier était là, dérisoire, entre ses doigts de vieillard tachetés de brun. Les maisons, les terres, les magasins, les usines, toute une vie de travail s'était transformée en une poignée de paperasses dont personne ne voulait plus. Et cependant il ne pouvait se résoudre à détruire ces vestiges. Ils étaient la preuve de son passage sur terre. Ses lettres de noblesse et, pour ainsi dire, ses papiers d'identité. Il les prenait un à un, les relisait, et chaque nom, chaque date ressuscitait en lui une affaire qu'il croyait oubliée. Gonflé de souvenirs, il voguait à contre-courant. Une fois pourtant, il s'était imaginé pour de bon pouvoir retrouver une partie de ses biens confisqués par les bolcheviks. C'était sous l'occupation. L'armée allemande progressait en Russie, pénétrait dans le Kouban, au Caucase, menaçait Leningrad. Tout en haïssant l'hitlérisme, Igor Dimitrievitch n'avait pu s'empêcher alors de penser qu'une victoire des troupes germaniques signifierait la chute du régime communiste et la possibilité pour les émigrés de rentrer chez eux. Pendant des semaines, cette perspective l'avait exalté et tourmenté à la fois. Ainsi, sans renoncer à prier pour la défaite des rouges, souffrait-il de voir dans les journaux les photographies des villes russes dévastées par les bombardements et les files de prisonniers russes déguenillés, affamés, qui cheminaient, traînant les pieds, dans la boue. Ces malheureux étaient des Russes avant d'être des Soviétiques. Ce n'était pas la Russie de Staline qui luttait contre l'envahisseur, mais celle de Pierre le Grand, d'Alexandre Ier, de Nicolas II. Aucun Russe, fût-il un ancien combattant des armées blanches, ne pouvait souhaiter le triomphe de l'ennemi. Au moment de Stalingrad, Igor Dimitrievitch s'était réjoui du formidable succès de ses compatriotes. Pas pour lui, bien sûr, mais pour ceux de là-bas. Pas pour le gouvernement, mais pour le peuple. Pas pour l'U.R.S.S., mais pour la Russie de toujours. La supériorité militaire de la Russie avait à la fois exalté son patriotisme et sonné le glas de ses espérances. S'il avait rêvé un instant, pendant la guerre, d'un prompt retour dans son pays, il devait y renoncer. Mais à sa déception intime se mêlait une fierté indépendante de la politique. Maintenant, toute cette agitation était retombée ; la solidité de l'U.R.S.S. était sans faille ; les émigrés étaient définitivement cloués sur leurs lieux d'exil. Cependant Igor Dimitrievitch envisageait encore parfois, contre toute raison, une possible réouverture des frontières, une restitution des terres, des maisons à leurs anciens propriétaires, un retour magique à l'heureuse situation de jadis. En pensée, il partageait ses biens entre ses fils. Nicolas recevrait la villa de Kislovodsk, Boris celle du Kouban. La demeure familiale de Moscou, qui était très vaste, pourrait être divisée en trois. Les deux frères logeraient chacun dans une aile et leur père s'installerait dans le bâtiment central. Il avait gardé par-devers lui tous les actes d'achat de ces immeubles. Ses droits sur eux étaient inattaquables, imprescriptibles. N'importe quel tribunal lui donnerait gain de cause. Emporté par son mirage, il agrandissait la salle à manger pour des réunions nombreuses, transformait une chambre d'enfant en bureau, une buanderie en salle de jeux, embauchait du personnel. Tout à coup, il vit Martine dans un traîneau, à Moscou, emmitouflée de fourrures, poudrée de neige, le nez rose, les yeux brillants. Elle avait appris à parler russe. Elle était heureuse dans son nouveau pays. Elle comptait beaucoup d'amies dans la haute société moscovite. La maison était très animée. Des enfants partout. Le chien Bary courait, en aboyant, dans le jardin blanc. Les cloches sonnaient à la volée. C'était Noël. Igor Dimitrievitch réprima un sourire béat. Dans des moments pareils, il oubliait que le régime soviétique était plus rigide que jamais, que les acquis de la révolution russe étaient inaliénables, qu'il allait avoir quatre-vingt-treize ans et que, même si l'U.R.S.S. lui ouvrait les bras, son état de santé lui interdirait le voyage. En rangeant les documents dans les chemises, il eut l'impression de mettre à l'abri un trésor dont il était le seul à connaître la valeur. Surtout ne rien perdre. On ne sait jamais...

Il était encore parmi ses phantasmes russes lorsque les invités arrivèrent. Dans son tailleur de shantoung jaune paille, à jupe très courte, Martine paraissait plus menue, plus brune, plus fragile que d'habitude. Son regard amusé avait le luisant des olives noires. Son fils Eric était auprès d'elle. Ils étaient de la même taille. Il y avait là aussi, bien sûr, Boris, Huguette, Muriel, Bernard, Lorraine. Mais Muriel avait renoncé à amener Thibaut. On attendrait quelques semaines encore pour le présenter à son arrière-grand-père.

Tout ce monde, qui revenait du restaurant, était échauffé par la nourriture et la vodka. Igor Dimitrievitch les réunit dans le salon, dont les fauteuils tapissés de soie vert amande s'étaient réveillés pour la circonstance. Nicolas dépassait Martine de la tête. Ils se tenaient par la main. Après s'être signée, Zénaïde Antonovna décrocha l'icône et la tendit à Igor Dimitrievitch. Il bénit le couple avec l'image sainte, murmura : « Que Dieu soit avec vous ! » et embrassa son fils et sa bru en retenant son haleine. Il avait toujours peur de dégager une odeur de vieillard. On servit le champagne.

— Soyez la bienvenue chez nous, Martine, reprit Igor Dimitrievitch en levant son verre.

Et soudain il s'avisa qu'il la vouvoyait encore, alors qu'il avait toujours tutoyé ses belles-filles.

— A présent que vous êtes tout à fait entrée dans la famille, reprit-il, je vais vous dire tu.

Elle eut ce demi-sourire velouté qu'il aimait tant et répondit :

— Je vous en remercie, père.

Il enchaîna avec une rude bonhomie :

— Un bon conseil : tâche de grossir un peu ! Tu es si mince ! Un souffle te casserait en deux !

Tout le monde rit. On trinqua encore. La gorgée de champagne qu'Igor Dimitrievitch avait bue lui piquait agréablement la langue. Bien sûr, il s'agissait là d'un mariage au rabais, d'un mariage à la sauvette. Sans prêtre, sans chants liturgiques, sans robe blanche. Homme d'un autre temps, Igor Dimitrievitch eût préféré les fastes d'or et d'encens de l'église de la rue Daru. Mais deux divorcés ne pouvaient prétendre à la splendeur de ce rituel. Tant pis, il fallait, à l'occasion, savoir se montrer moderne. Les yeux d'Igor Dimitrievitch parcoururent l'assistance et se posèrent sur Eric. L'enfant avait un air penaud et un peu triste parmi tous ces étrangers surexcités. « A quoi peut penser un fils de douze ans dont la mère se remarie ? » se demanda Igor Dimitrievitch. Il eut pitié du gamin. Et aussi de lui-même. Tous deux étaient de trop dans cette fête des adultes.

— Viens ici, toi ! lui dit-il.

Il l'attira, lui tapota la nuque et chuchota à son oreille :

— Maintenant tu es des nôtres. Tu verras, nous serons très bien ensemble !

Eric leva sur lui un regard de chaude gratitude. Sur le point de céder à l'attendrissement, Igor Dimitrievitch s'écarta de l'enfant et revint à Martine. Il avait envie de lui parler de son fils, de leur avenir dans la famille, de lui-même qui était si heureux de la voir porter le nom des Lébédev, mais les mots fuyaient sa tête. Il se borna à lui baiser la main et à réclamer encore un peu de champagne que Zénaïde Antonovna lui refusa. A Moscou, les fêtes de ses noces avec Hélène avaient duré huit jours. Les invités étaient si nombreux que c'était le personnel du restaurant Yar qui officiait à table. Tous les plats venaient de l'extérieur. Chaque convive avait trouvé un cadeau sur son assiette. Un orchestre jouait dans une loggia décorée de plantes tropicales. Les danses se prolongeaient jusqu'à l'aube. Pour éclairer la rue, devant la maison, le père d'Igor Dimitrievitch avait loué l'un des projecteurs qui avaient servi aux illuminations lors du couronnement de l'empereur Nicolas II. Ici, Zénaïde Antonovna s'était contentée d'acheter trois bouteilles de champagne et des biscuits à la cuiller chez l'épicier du coin. Tout était petit et quotidien en France.

La conversation, décousue et joyeuse, roulait sur la cérémonie à la mairie, le discours embarrassé de l'adjoint, le menu du restaurant. En écoutant ces balivernes, Igor Dimitrievitch gardait sur le visage une expression de fausse gaieté qui lui contractait les mâchoires. En vérité, il ne pouvait supporter plus longtemps la présence de tant de personnes bavardant ensemble sous son toit. Habitué au calme de sa chambre, il n'était vraiment à l'aise que dans le tête à tête. Maintenant, Huguette,

resplendissante et catégorique, évoquait ses démê-
lés avec les différents corps de métier employés à la
restauration de sa maison de campagne, Bernard et
Muriel s'extasiaient sur leur nouveau-né qu'ils
avaient confié pendant quelques heures à la garde
d'une cousine, Nicolas et Martine discutaient de
leurs vacances, qu'ils comptaient prendre au mois
d'août, quelque part en Espagne. Chacun avait sa
vie et en parlait avec complaisance et volubilité.
Seul Igor Dimitrievitch ne trouvait rien à dire. La
scène appartenait aux autres. Il était l'éternel
spectateur.

A la longue, ses nerfs se crispaient. Il ne tenait
plus en place. Profitant d'un silence, il demanda à
ses fils de le suivre dans sa chambre. Il avait, dit-il,
à leur parler « entre hommes ». Déférents, ils
acquiescèrent avec un demi-sourire de condescendance. Ils l'aidèrent à se déshabiller et à se coucher.
Igor Dimitrievitch avait emporté sa serviette de
cuir noir. Un plateau sur les genoux, il sortit les
documents du portefeuille et les déposa en piles
devant lui.

— Tout est là, prononça-t-il d'une voix basse,
confidentielle. Il faut que vous le sachiez. Quand je
disparaîtrai, vous n'aurez qu'à ouvrir le coffre-
fort...

— Mais tu nous l'as déjà dit, papa, interrompit
Boris.

— Ce sont des choses qu'on oublie facilement. Et
après, on le regrette. J'ai rangé les papiers dans les
chemises par catégories. Vous vous y retrouverez
très bien. Je suis sûr que vous n'imaginez pas tout
ce que nous possédons en Russie. Si nous pouvions
réaliser ces avoirs — et qui sait si nous ne le
pourrons pas un jour ? — vous seriez à la tête d'une
fortune considérable !

Tout en parlant, il observait sur le visage de ses fils un air de commisération et de tendresse. Leur scepticisme affectueux lui faisait mal. Luttant contre l'envie de pleurer, il leur énuméra ses richesses. Ils l'approuvaient :

— Oui, papa... Bien, papa... C'est extraordinaire, papa !...

Evidemment, ils n'en pensaient pas un mot. Quand il leur suggéra de partager entre eux les différentes maisons de Russie, ils abondèrent dans son sens :

— C'est une très bonne idée !

Mais, plus ils paraissaient intéressés par son projet, plus Igor Dimitrievitch se sentait incompris, dépassé, ridicule. Il finit par rassembler ses documents d'une main malhabile et les fourra dans sa serviette.

— Retournez là-bas, dit-il. Vos femmes vous attendent.

— Et toi ?

— Je suis un peu fatigué.

— Nous allons venir auprès de toi.

— Non, non...

Mais ils insistèrent et la famille se réunit en cercle autour de son lit. Il dut prendre sur lui pour faire l'aimable devant tous ces gens bien portants qui avaient envahi sa chambre. Leurs voix fortes, leurs regards clairs le blessaient dans son délabrement et dans sa tristesse. Même Martine ne trouvait plus grâce à ses yeux. Enfin, ils s'en allèrent avec leur encombrante joie de vivre.

Plus tard, dans la nuit, Igor Dimitrievitch se plaignit de palpitations et de gêne respiratoire. Même assis dans son lit, il étouffait. Mal réveillée, Zénaïde Antonovna allait et venait dans son vieux peignoir japonais serré à la taille par une cordelière. Une cigogne bougeait sur sa croupe. Ses cheveux teints jetaient des reflets rouges dans la lumière de la lampe de chevet. Ayant essayé tous les remèdes, elle se décida à téléphoner, malgré l'heure tardive, au docteur Philippov.

Il accourut, constata que les poumons étaient congestionnés, les jambes enflées, l'urine rare, parla d'insuffisance cardiaque, recommanda un régime sans sel, fit une piqûre, rassura le malade et partit, pressé de retrouver son lit, à l'autre bout de la ville.

Zénaïde Antonovna se recoucha dans sa chambre, mais la lampe de chevet resta allumée. Le dos calé par les oreillers, Igor Dimitrievitch surveillait le sourd travail de battements et de ronflements qui s'opérait dans sa poitrine. L'angoisse avait disparu. Mais sa fatigue était immense. Il ne vivait plus, il survivait. Et personne, autour de lui, ne s'en rendait compte. Tout à leurs soucis personnels, ses fils voulaient ignorer la gravité de son cas. Quant à Zénaïde Antonovna, c'était une idiote incapable de faire face aux événements. En détaillant ainsi les motifs qu'il avait d'être malheureux, Igor Dimitrievitch se persuadait que la mort était préférable à un tel abandon. Tout son être aspirait à la rupture, au repos, à l'oubli noir. Des larmes coulaient sur ses joues. Pour se préparer au sommeil, il se mit à réciter des vers de Pouchkine, à haute voix. Comme il avait retiré son dentier pour la nuit, sa langue s'empâtait. Réveillée en sursaut, Zénaïde Antonovna demanda du fond de sa chambre :

— Hein ? Qu'est-ce qu'il y a, Igor Dimitrievitch ? Vous n'êtes pas bien ?

Il butait sur un vers d'*Eugène Onéguine*.

— Comment est-ce après : « C'est l'hiver, le moujik se réjouit... » ? questionna-t-il.

Ahurie, elle balbutia :

— Je ne sais pas.

— Evidemment ! grogna-t-il.

Et il ramena le drap jusqu'à son menton, avec colère. Hélène n'aurait pas hésité à lui répondre. Elle savait tout Pouchkine par cœur. Le lit vide, en face de lui, aggravait cette notion de perte irréparable. C'était pire qu'un tombeau. Mais pour rien au monde il n'eût accepté qu'on le déménageât. Il devait continuer à vivre avec ce rappel à l'ordre solennel, fait de quatre bouts de bois, d'un sommier, d'un matelas et d'un couvre-pieds. Ainsi, bien que veuf, il passait les nuits avec Hélène. Zénaïde Antonovna s'était rendormie. Elle ronflait, elle sifflait comme une bouilloire. La maison entière était un navire taillant sa route dans les ténèbres. Où arriverait-on demain ? Dans quel pays, dans quel port ? En Russie, peut-être ? Soudain, il retrouva le vers qu'il cherchait. Cette découverte lui fit l'effet d'un cadeau tombé du ciel. Mais le sommeil ne venait toujours pas. Des heures s'écoulèrent dans l'immobilité et le silence. Postées un peu partout dans la chambre, les pendulettes grignotaient la vie à petits coups de dents. Une lueur laiteuse coula à travers la fente des rideaux. De la rue monta un bruit de poubelles heurtées. Le navire n'avait pas bougé. Igor Dimitrievitch se dit avec amertume qu'il était toujours ancré à Paris et qu'une nouvelle journée allait commencer pour lui, en tous points semblable aux précédentes.

10

Un matin, ce qui paraissait, hier encore, incroyable se produisit dans la maison : Zénaïde Antonovna refusa de quitter son lit. Elle toussait, se plaignait de frissons et de maux de tête. Avec répugnance, Igor Dimitrievitch lui prêta son thermomètre : trente-neuf deux. C'était évidemment assez pour excuser une défaillance dans le service. Il n'en fut pas moins irrité : à la fois parce que cet événement bouleversait son train de vie et parce qu'il avait depuis longtemps l'habitude d'être le seul malade à bord. Il lui semblait confusément qu'en se déclarant souffrante Zénaïde Antonovna empiétait sur son domaine. Désemparé et furieux tout ensemble, il téléphona au docteur Philippov. Le médecin vint aussi rapidement que s'il se fût agi d'Igor Dimitrievitch en personne — ce qui l'étonna et le vexa un peu —, ausculta la malade dans sa chambre, diagnostiqua une « bonne grippe » et parla des dangers de la contagion. Il fut donc décidé, par précaution, que Zénaïde Antonovna n'aurait plus, jusqu'à nouvel ordre, aucun contact avec Igor Dimitrievitch et coucherait dans le salon, sur un lit de camp. Boris et Nicolas l'y installèrent « comme une princesse », selon leur expression. Pour s'occuper de leur père, ils embauchèrent provisoirement une femme de ménage française qui avait servi autrefois chez Huguette et qui, disait-on, était très débrouillarde et très dévouée. Igor Dimitrievitch subit ce changement de personnel comme une punition imméritée.

La femme de ménage s'appelait Mme Conflans. Quinquagénaire florissante, elle arborait un sourire fortement maquillé et, sur la joue droite, un grain de beauté velu qu'elle rehaussait au crayon noir. La nuit, elle dormait dans l'ancienne chambre de Zénaïde Antonovna ; le jour, elle allait et venait à travers l'appartement avec une aisance et une autorité malséantes. Remplaçant la malade dans toutes ses activités, elle servait Igor Dimitrievitch au lit, sur la table roulante, lui présentait ses médicaments, retapait ses oreillers, l'aidait à se lever et à se rendre aux cabinets ou dans la salle de bains. Bien qu'elle s'acquittât convenablement de toutes ces tâches subalternes, il ne pouvait la supporter. Il la jugeait vulgaire, encombrante et trop fardée pour une domestique. Elle ne savait pas préparer le thé, elle traînait les pieds en marchant, elle fredonnait dans la cuisine, elle sentait un mélange de parfum bon marché et de transpiration recuite, elle avait le rire éclatant et l'œil fureteur. En outre, elle s'obstinait à l'appeler « Monsieur Igor », ce qui, chaque fois, lui blessait l'oreille comme le grincement de la craie sur un tableau noir. Et il n'osait pas la reprendre sur cette formule incongrue. Auprès d'elle, Zénaïde Antonovna était un parangon d'élégance et de savoir-vivre. Il la regrettait et attendait avec impatience sa guérison. Chaque matin, il demandait de ses nouvelles à Mme Conflans, qui se contentait de répondre : « Ça suit son cours, Monsieur Igor ! » Le docteur Philippov, lors de ses visites, était plus précis : la malade, disait-il, était très affaiblie et se remettait lentement. Elle ne pourrait pas reprendre son travail avant une dizaine de jours. Ce long délai consternait Igor Dimitrievitch. A plusieurs reprises, allant aux cabinets ou revenant de la salle de bains, il croisa Zénaïde Antonovna qui, elle aussi, vaquait à ses soins intimes. Chaque fois, il éprouva un pincement au cœur. Blafarde, échevelée, les pieds chaussés de savates, le corps empaqueté dans son peignoir japonais, elle lui lançait un regard désolé et chuchotait : « Ça va, Igor Dimitrievitch ? » « Ça va ! » répondait-il mélancoliquement. Ils se souriaient de loin et repartaient chacun dans sa direction. Mme Conflans emmenait par le bras Igor Dimitrievitch qui grognait : « Pas si vite ! » Quittant la Russie, il retournait en France. Contraint de parler français du matin au soir, il se sentait brimé. Il en arrivait à penser avec nostalgie aux patiences qu'il étalait naguère, après le dîner, avec Zénaïde Antonovna, à leurs parties de belote entachées de disputes et de tricheries. A mesure que les jours passaient, Mme Conflans lui devenait, par contraste, plus odieuse. Il la soupçonnait de fouiller dans tous les recoins, par curiosité ancillaire. Sans doute même le volait-elle quelque peu. Comment la contrôler ? On aurait dû dresser un inventaire avant d'engager cette femme. Il n'osa confier son inquiétude à ses fils, car il savait trop que leur réaction serait bêtement sceptique, mais ferma à clef tous les placards, tous les tiroirs, derrière le dos de Mme Conflans, et cacha le trousseau en un endroit astucieusement choisi. Ainsi rassuré, il passa une nuit paisible.

Le lendemain, lorsqu'il voulut rouvrir le placard de la chambre où était scellé le coffre-fort, une terreur le saisit au ventre. Impossible de se rappeler où il avait fourré le trousseau. Il avait beau tenailler sa mémoire, promener les yeux alentour, repasser en esprit les moindres gestes de la veille, il se retrouvait, en fin de compte, devant un vide brumeux. A croire que ce n'était pas lui qui avait dissimulé ces clefs aux regards indiscrets. Toute la journée, sans en rien dire à Mme Conflans, il les chercha, passant d'une pièce à l'autre. Epuisé, tenant à peine sur ses jambes, il inspectait l'armoire à pharmacie, bouleversait une pile de linge, soulevait un traversin, rebroussait du pied le coin d'un tapis. Plus il poussait ses investigations, moins il voyait clair dans ses souvenirs. Intriguée par ce remue-ménage, Mme Conflans demandait : « Vous avez perdu quelque chose, Monsieur Igor ? Je peux vous aider ? » « Non, non », répondait-il précipitamment. Et son exaspération confinait au désespoir. Il ne dormit pas de la nuit et, le jour suivant, n'y tenant plus, appela ses fils au secours.

Quand ils furent seuls avec lui dans la chambre, il leur avoua le motif de son désarroi. Boris, toujours optimiste et léger, rit de la mésaventure. Mais Nicolas, avec son caractère abrupt, prit la chose très mal et voulut savoir pourquoi son père avait cru nécessaire de cacher les clefs. Assis en pyjama au bord du lit, les coudes sur les genoux, le dos rond, Igor Dimitrievitch se contenta de répondre :

— Je ne sais pas...

— Mais c'est insensé ! s'écria Nicolas. De qui te méfies-tu ?

— De personne...

— Que pourrait-on te voler ? Tu n'as rien !

Igor Dimitrievitch émit un sanglot qui n'était pas très sincère :

— J'ai cru bien faire. Mais voilà, je n'ai plus ma tête. C'est l'âge, la décrépitude. Je ne suis bon qu'à rester au lit et à attendre la mort...

Du coup, Boris et Nicolas s'unirent pour le consoler. Ils convoquèrent Mme Conflans et lui demandèrent — à la grande confusion d'Igor Dimitrievitch — si elle n'avait pas vu un trousseau de clefs en faisant le ménage. Elle jura que non. Tout le monde se mit à la fouille. Peine perdue. Alors Nicolas téléphona à un serrurier du quartier. L'ouvrier vint sur-le-champ avec son attirail. Pendant qu'il travaillait sur la porte du placard, un cri de joie retentit dans l'appartement. Mme Conflans surgit, brandissant le trousseau. Il tintait au bout de ses doigts comme une clochette.

— Je l'ai trouvé dans la salle de bains, Monsieur Igor, au fond de la boîte en fer où vous rangez le coton hydrophile, dit-elle.

On la félicita. Igor Dimitrievitch était rouge de honte. A présent, il se souvenait avec une précision douloureuse, éblouissante, d'avoir enfoncé les clefs sous les paquets d'ouate. Nicolas lui décocha un regard réprobateur, paya le serrurier pour le dérangement et rendit les clefs à son père en disant :

— Ne t'amuse plus à ce petit jeu-là, papa.

— Non, non, je te promets...

Il se sentait mortifié dans son honneur, réduit à l'état d'enfance par ses enfants mêmes, et cela devant une étrangère. Chaque serrure retrouva sa clef. Les « jeunes » partirent. Mais Mme Conflans ne fut pas longtemps à savourer son triomphe. Trois jours plus tard, Zénaïde Antonovna était sur pied. Après consultation du docteur Philippov, Nicolas et Boris congédièrent la « doublure ».

Igor Dimitrievitch accueillit avec soulagement la fin de ce triste intérim. Rendue à ses fonctions, Zénaïde Antonovna redoublait de zèle. Le repos de la convalescence lui avait redonné de la vigueur. On eût dit qu'elle avait à cœur de prouver son excellence après le départ de l'intruse. Puis son activité se calma, et la vie reprit comme auparavant, lente, monotone et paresseuse. Après un élan de bonheur, Igor Dimitrievitch retrouva les griefs habituels qu'il nourrissait contre sa vieille compagne. Oubliant combien elle lui avait manqué pendant sa maladie, il ressassait toutes les raisons qu'il avait d'être mécontent d'elle.

En même temps, n'étant plus pressé par les événements, il retournait volontiers au passé et se complaisait dans le songe. Comme on parlait de nouveau russe dans la maison, il se retrouvait à Moscou, en 1914. En qualité de « soutien de famille », il n'avait pas été mobilisé. Peu avant la guerre, il avait accru le volume de ses affaires en achetant des usines de filature et de tissage. Avec les commandes de drap militaire, l'entreprise s'était rapidement développée. Igor Dimitrievitch avait scrupule à gagner de l'argent pendant que d'autres risquaient leur vie au front. A plusieurs reprises, il avait voulu s'engager. Hélène l'avait supplié de n'en rien faire. Il avait eu la faiblesse de l'écouter. Elle participait à des comités de bienfaisance, de secours aux blessés. Toute la Russie s'était rassemblée autour du tsar dans un élan patriotique. Mais, dès les premiers revers, le poison du doute politique avait repris sa mortelle progression. Très vite, on s'était mis à critiquer, dans les salons, l'incapacité de Nicolas II, sa soumission aux volontés de l'impératrice, l'influence néfaste de Raspoutine sur les souverains désemparés. Aujourd'hui encore, Igor Dimitrievitch rêvait à ce qu'aurait pu devenir sa patrie si les bolcheviks n'avaient pas pris le pouvoir. Une monarchie constitutionnelle à l'anglaise. Un pays fort, riche, heureux, discipliné, aux frontières ouvertes. Il y aurait sa place à la tête de plusieurs entreprises prospères. Ses fils le seconderaient avec déférence. Personne n'oserait le critiquer s'il lui arrivait de perdre ses clefs. Il ne se soucierait pas des humeurs d'une employée de maison. Quand de telles pensées traversaient son cerveau, Il regardait Zénaïde Antonovna avec mépris, avec rancune, comme si elle avait été le symbole vivant de sa déchéance. Elle le connaissait si bien qu'elle interprétait sans erreur les plus subtiles expressions de son visage. « Qu'est-ce qui ne va pas, Igor Dimitrievitch ? » disait-elle soudain avec sévérité. Aussitôt il rentrait dans sa coquille et marmonnait : « Pourquoi demandez-vous ça, Zénaïde Antonovna ? Tout va bien !... Tout va bien !... » Mais elle le poussait dans ses retranchements : « Si vous avez quelque chose sur le cœur, il faut me le dire ! » Il secouait le front négativement et tentait de l'amadouer par un sourire. Il savait trop que, si elle continuait à lui faire la tête, leur soirée à tous deux serait gâchée. Alors, humblement, il lui suggérait de prendre une tasse de thé. Et ils se réconciliaient, sans un mot, devant le samovar.

11

Il y avait bien vingt minutes que Nicolas et Boris avaient entraîné Zénaïde Antonovna dans la salle à manger pour discuter avec elle de l'organisation de la maison. Couché dans sa chambre, Igor Dimitrievitch ne percevait aucun écho de leur conversation. Mais il soupçonnait ses fils de tourmenter la pauvre femme par leurs conseils et leurs remontrances. A plusieurs reprises déjà, dans le passé, ils avaient critiqué la façon dont elle s'occupait de son intérieur. Chaque fois, elle avait pris la mouche. Et c'est lui qui, ensuite, avait dû supporter sa mauvaise humeur. Inquiet, il se demandait quelle serait, ce soir, l'issue de l'entretien. Zénaïde Antonovna était d'une susceptibilité hérissée. Brodant sur ses souvenirs, elle se prenait volontiers pour une grande dame russe, contrainte par l'adversité à des travaux indignes de sa condition. Il fallait la ménager. Et Nicolas et Boris étaient si maladroits, si tranchants ! Enfin ils revinrent. Mais seuls. Ils semblaient satisfaits.

— Nous avons eu une bonne discussion avec Zénaïde Antonovna, dit Nicolas. Il y a si longtemps qu'elle est dans la maison ! Elle fait presque partie de la famille !

— C'est d'abord à toi que nous avons pensé, poursuivit Boris. Tu ne te rends compte de rien. Mais ton appartement est vraiment trop mal tenu. Huguette m'en a encore fait la remarque avant-hier. Il y a de la poussière sur tous les meubles, la vaisselle sale s'accumule dans la cuisine...

— Zénaïde Antonovna n'a pas le temps de s'occuper de tout, renchérit Nicolas. Elle ne peut à la fois te soigner, passer l'aspirateur, faire les courses, préparer tes repas. Elle n'est plus jeune. Et puis, elle n'a aucune notion de ce qu'est un malade. Dans ton état, elle ne peut t'être d'aucun secours.

Immédiatement, Igor Dimitrievitch se mit sur ses gardes. C'était sûrement l'épisode de Mme Conflans qui avait donné cette idée à ses fils.

— Ce n'est pas mon avis, dit-il. Evidemment, Zénaïde Antonovna a ses défauts. Mais vous ne trouverez pas mieux. Je ne veux pas changer !...

— Tu ne changerais pas, dit Boris. Elle resterait. Mais elle ne s'occuperait que du ménage. Et nous engagerions une infirmière pour veiller sur toi.

— Non.

— Nous essaierions de trouver une infirmière russe.

— Même pas une infirmière russe! grogna Igor Dimitrievitch.

Il bouillonnait. Mais c'était moins la colère que la peur qui l'enfonçait dans le refus. L'idée de contrarier Zénaïde Antonovna l'épouvantait. C'était comme si on lui eût demandé de jeter tous ses médicaments par la fenêtre. Brusquement, il pensa que, si ses fils envisageaient de lui adjoindre une infirmière, c'était qu'ils le jugeaient à toute extrémité. Ils feignaient la bonhomie, mais l'alarme était dans le camp.

— C'est parce que je vais moins bien...? balbutia-t-il.

— C'est parce que Zénaïde Antonovna va moins bien! répondit Nicolas en riant. D'ailleurs, elle a parfaitement compris notre point de vue. Elle accepte cette solution. Bien sûr, nous ne diminuerions pas ses gages...

Encore étourdi par ces décisions qui bouleversaient sa vie, Igor Dimitrievitch marmonna :

— Si elle est d'accord... Oui, peut-être... Mais c'est tellement nouveau... Il faut que je réfléchisse...

— Nous ne ferons rien contre ton gré, papa, assura Boris d'un ton conciliant. Veux-tu y penser ? Il n'y a pas d'urgence. Nous en reparlerons demain ou après-demain...

A peine furent-ils partis qu'Igor Dimitrievitch appela Zénaïde Antonovna. Mais il eut beau crier, agiter sa sonnette, taper du poing contre la cloison, personne ne répondit. Etait-elle sortie en ville sans le prévenir ? Intrigué, il s'extirpa du lit, enfila sa robe de chambre et, appuyé sur sa canne, marcha, en clopinant et en soufflant, jusqu'à la salle à manger.

Zénaïde Antonovna était là, effondrée sur une chaise, la face dans les mains, les coudes aux genoux. Une bête blessée à mort et repliée sur elle-même. Timidement, il lui toucha l'épaule et chuchota :

— Zénaïde Antonovna, que se passe-t-il ?

— Rien ! rugit-elle en agitant ses coudes dans un mouvement de va-et-vient. Laissez-moi !

— Je ne sais ce que vous ont dit mes fils, mais...

— Si ! Si ! Vous le savez bien ! Vous vous êtes entendu avec eux !

Il posa une main sur son cœur :

— Je vous jure par Dieu que non !

— Alors comment ont-ils osé ?

— Ils ont cru bien faire !

— Me dire ça, à moi qui suis depuis vingt-quatre ans dans votre famille... A moi dont le mari était officier... A moi qui ai failli entrer au service du grand-duc Cyrille... Ils m'ont parlé comme à une bonniche française... Ils m'ont annoncé qu'ils allaient embaucher une garde-malade... Pendant que je m'occuperais des basses besognes, elle aurait, elle, les vraies responsabilités ! Eh bien non ! L'affaire de Mme Conflans m'a suffi ! Je ne me laisserai pas marcher sur les pieds par une étrangère ! Je ne partagerai pas ! Ou je resterai seule pour tout, ou je m'en irai ! Choisissez !

— Mais n'est-ce pas trop de travail pour vous, Zénaïde Antonovna ?

— Est-ce que je m'en plains ?

— Non.

— Alors ? La vérité, c'est qu'on veut m'humilier... On veut me chasser... Après tout ce que j'ai fait pour vous... Je n'ai pas mérité ça !...

Elle se dressa, le visage démoli par l'indignation et le chagrin. De son front à son menton, toute sa peau tremblait par petites secousses. On eût dit que des ficelles invisibles la tiraient de haut en bas et de gauche à droite. Une eau trouble gonflait ses yeux, son nez coulait. Igor Dimitrievitch avait pitié d'elle et de lui-même. Jamais elle ne lui avait paru plus laide ni plus misérable. Et jamais il ne s'était senti plus proche d'elle tout en la détestant. Deux épaves liées l'une à l'autre et dont nul ne comprenait l'horrible attachement. Si elle s'en allait, il connaîtrait un second veuvage. Et celui-là, il ne pourrait le supporter. Lui aussi maintenant pleurait de désarroi et de faiblesse.

— Restez, Zénaïde Antonovna, gémit-il. Je dirai à mes fils... Ils m'ont promis qu'ils ne feraient rien contre ma volonté... Tout s'arrangera... Oh! oui, restez, je vous en prie...

— Il n'y aura personne d'autre que moi à votre service ?

— Personne.

— Nicolas et Boris ne seront pas contents !

— Eh bien, je m'en moque ! C'est moi que ça regarde ! Qu'est-ce que ça peut me faire qu'il y ait un peu plus ou un peu moins de poussière sur les meubles ?... Ce qui compte, ce n'est pas la propreté de la maison, c'est la propreté de l'âme. Avec vous, je suis bien...

C'était la première fois qu'il lui faisait une pareille déclaration. Elle grimaça un sourire à travers ses larmes. Il lui prit la main. Un moment, il envisagea même de la porter à ses lèvres. Mais il se retint. Après tout, Zénaïde Antonovna n'était qu'une employée. Même dans l'effusion cordiale, il y avait des distances à respecter. Il se contenta de lui serrer le bout des doigts avec force en disant :

— Tout sera comme avant, Zénaïde Antonovna. Je vous le promets. Oublions cette pénible affaire.

— Oh oui ! s'écria-t-elle. Oublions, oublions !

Instantanément ravigotée, elle essuya ses yeux du revers de la main, secoua ses cheveux rouges et se dirigea, en boitillant, vers la cuisine. Elle revint avec une bouteille de champagne largement entamée, qui était restée au frais depuis le mariage de Nicolas.

— Nous allons boire à notre bonne entente ! dit-elle avec entrain.

Il acquiesça gaiement. Sa décision l'avait délivré d'un lourd scrupule. Tant pis pour ses fils et ses brus qui, sans doute, lui reprocheraient sa faiblesse. Ils ne pouvaient pas comprendre... Elevant son verre, il trinqua avec Zénaïde Antonovna qui le regardait dans les yeux avec une hideuse tendresse. Enfermés dans une bulle transparente, ils n'avaient que faire de l'opinion d'autrui. Ils se suffisaient à eux-mêmes. Puis ils songèrent au dîner. Igor Dimitrievitch se sentait si gaillard qu'il voulut le prendre à table. Le menu était frugal. De la viande froide, une salade non assaisonnée. Et de l'eau rougie en guise de boisson. Mais il semblait à Igor Dimitrievitch qu'il participait à un repas de fête. Soudain, Zénaïde Antonovna demanda :

— Quand téléphonerez-vous à vos fils ?

— Pour quoi faire ?

— Pour leur dire votre décision.

Interloqué, il murmura :

— Je ne sais pas... Demain, peut-être...

— Il faut le faire tout de suite.

— Vous croyez ?

— Bien sûr ! Plus vous attendrez, plus ils se figureront que vous leur donnez raison.

Il baissa la tête. A l'idée de cette nouvelle épreuve, le courage lui manquait. Tout barbouillé d'appréhension, il essaya de tergiverser :

— Ils ne doivent pas être chez eux...

— Essayez : vous verrez bien !

Elle avait un ton sec qui n'admettait pas de réplique. Incapable de lutter, il espéra un malaise qui le délivrerait de son obligation. Il feignit même de chanceler et se rattrapa au bord de la table. Mais Zénaïde Antonovna n'était pas dupe. Son regard le perçait. Elle décrocha le téléphone et lui tendit le combiné en disant :

— Allez !

Il s'assit et demanda :

— Lequel dois-je appeler ? Nicolas ?

— Si vous voulez.

Elle-même prit l'écouteur et le colla contre son oreille, chose qu'elle ne faisait jamais auparavant sans y être invitée. Il forma le numéro comme il eût manipulé une bombe. Ce fut Martine qui lui répondit. Pendant qu'il échangeait avec elle quelques propos aimables, Zénaïde Antonovna lui ordonna, par un moulinet de la main, d'abréger ces politesses inutiles. Enfin Martine appela son mari. En entendant la voix de Nicolas, Igor Dimitrievitch ressentit comme un relâchement dans ses entrailles. Il craignit même d'avoir un peu mouillé son caleçon. Un regard énergique de Zénaïde Antonovna lui enjoignit de passer d'emblée à l'attaque. Désespéré, il se jeta dans le vide :

— J'ai réfléchi, Nicolas. C'est non. Je veux que Zénaïde Antonovna s'occupe de tout toute seule. Comme avant.

Debout derrière Igor Dimitrievitch, elle approuvait par de vigoureux hochements de tête.

— C'est absurde ! dit Nicolas.

— Non! Non! Autrement je serais très malheureux! Tu ne peux pas vouloir que je sois malheureux! Alors, je t'en prie, n'insiste pas! Déjà cette discussion me rend malade! Je ne fermerai pas l'œil de la nuit!...

— Veux-tu que je fasse un saut chez toi?

Zénaïde Antonovna fit un signe négatif.

— Surtout pas! bredouilla-t-il précipitamment. Je veux simplement que tu me promettes de ne plus soulever cette question. Plus jamais! En essayant d'arranger les choses, ton frère et toi, vous ne réussissez qu'à me tourmenter. Pour l'amour du ciel, laissez-moi mourir en paix! Vous n'aurez plus longtemps à attendre!

Un goût salé emplit sa bouche. Il hoqueta. Zénaïde Antonovna posa l'écouteur et fit mine d'applaudir des deux mains, en silence.

— C'est bon, dit Nicolas. N'en parlons plus. Calme-toi, papa.

— Tu le diras à Boris? demanda Igor Dimitrievitch.

— Oui.

— Ce n'est pas la peine que je lui téléphone aussi?

— Non.

— Merci, Nicolas. Je suis soulagé. Ne m'en veuillez pas. C'est ainsi. Que Dieu soit avec toi!

Elle avait repris l'écouteur pour entendre la fin de la conversation. Son visage de caoutchouc rayonnait. Elle souriait de toutes ses dents jaunes et mal plantées. Quand il raccrocha l'appareil, elle dit:

— Avec votre permission, Igor Dimitrievitch.

Et, penchant au-dessus de lui son buste flasque, l'enveloppant de son odeur musquée, elle lui déposa sur le front un petit baiser. Il tressaillit, heurté par cette familiarité inattendue.

— Vous êtes content que tout soit réglé ? demanda-t-elle.

— Très content, Zénaïde Antonovna, dit-il avec confusion.

Elle débarrassa la table et apporta les cartes. Assis face à face, ils étalèrent chacun une patience. Ils n'avaient pas besoin de se parler pour goûter le plaisir d'être ensemble. A un moment, il passa la main sur son front comme pour effacer la trace du baiser de Zénaïde Antonovna. Il lui semblait sentir encore sur sa peau, au-dessus des sourcils, une sorte de timbre humide. Elle lui décocha un regard sévère. Il laissa retomber sa main sur son genou. Décidément, il n'y avait plus de barrières.

12

Comme l'essoufflement d'Igor Dimitrievitch s'aggravait au point qu'il s'éveillait parfois la nuit, le cœur galopant, les poumons noyés, le docteur Philippov avait appelé en consultation un cardiologue réputé, le professeur Deschamps. C'était un homme très grand, très maigre, habillé de tissu gris perle. Après l'auscultation et l'électrocardiogramme, les deux médecins s'étaient isolés dans la salle à manger pour discuter. Ils revinrent peu après dans la chambre, l'air satisfait l'un de l'autre. Evidemment, ils étaient tombés d'accord sur tous les points. Le docteur Philippov expliqua les prescriptions de l'ordonnance à Zénaïde Antonovna, en

russe. Aucun changement notable dans le traitement. Mais il était sage de prévoir « une petite
ponction pleurale » pour soulager le malade.

— Je viendrai la pratiquer demain, en fin
d'après-midi, décréta le docteur Philippov.

— C'est quoi, une ponction ? demanda Igor
Dimitrievitch avec méfiance.

— Cela consiste à vous retirer, à l'aide d'une
aiguille, l'excès de liquide qui s'est accumulé dans
votre cavité thoracique. Vous verrez, c'est tout à
fait indolore.

— Et je serai guéri, après ?

— Pas immédiatement, répondit le professeur
Deschamps d'une voix suave. Il faut vous armer de
patience. En tout cas, vous vous sentirez bien
mieux !

Igor Dimitrievitch était déçu. En dépit de son
apparence joviale et omnisciente, le célèbre praticien ne promettait pas de miracle. Pourquoi l'avait-
on fait venir ? A ses côtés, le docteur Philippov
paraissait étrangement effacé, alors qu'il en savait
sûrement autant que l'autre sur toutes les maladies
et sur tous les remèdes. Comme les médecins
allaient se retirer sur d'ultimes paroles d'encoura-
gement, Igor Dimitrievitch voulut, selon son habitude, régler leurs honoraires. Interrogé par lui, le
professeur Deschamps répondit par un murmure
élégant. Le chiffre décontenança Igor Dimitrievitch
parce qu'il était énoncé en nouveaux francs. Il ne
s'habituait pas à cette acrobatie monétaire qui,
depuis quelques années, l'obligeait à multiplier
tous les prix par cent pour évaluer leur réelle
importance. Zénaïde Antonovna lui traduisit la
somme en anciens francs. C'était beaucoup plus
que ce que demandait l'humble docteur Philippov.
Néanmoins, Igor Dimitrievitch tira son portefeuille

de dessous son oreiller et paya la consultation sans marquer la moindre surprise.

Resté seul avec Zénaïde Antonovna, il inscrivit la dépense dans son carnet. Entretenu sans restriction par ses deux fils, il tenait à leur présenter, en fin de mois, des comptes à jour. Au vrai, ni Boris ni Nicolas ne s'intéressaient à ces additions. Mais, pour lui, c'était une question d'hygiène morale, de fierté intime. Ce soir, il leur téléphonerait le résultat de la visite. Ils n'avaient pas pu venir aujourd'hui, retenus par leurs affaires. En revanche, demain ils seraient sûrement là pour la ponction. C'étaient de bons fils, dévoués, attentionnés. « Au fond, je ne puis me plaindre de rien, songea Igor Dimitrievtch. Pourquoi donc suis-je si malheureux ? Parce que je suis vieux, malade. Parce que je m'ennuie. Parce qu'on va me faire cette ponction... » Malgré les affirmations du docteur Philippov, l'idée de la piqûre l'inquiétait. Il le dit à Zénaïde Antonovna. Elle se fâcha :

— Puisque le docteur Philippov vous a expliqué que ça ne faisait pas mal ! Vraiment, vous êtes trop douillet !

Il dormit peu, incommodé à la fois par des étouffements et par la pensée de l'épreuve qui l'attendait. Prévenus par téléphone, Nicolas, Boris et leurs femmes se réunirent, le lendemain, à son chevet.

— Tout le monde s'est dérangé ! s'écria-t-il en les voyant. Quelle histoire ! Il ne fallait pas !...

Mais, dans son for intérieur, il était ravi d'avoir mobilisé la famille. Lorsque le docteur Philippov se présenta à son tour, les deux couples se réfugièrent dans la salle à manger. Malgré l'insistance de Nicolas, Igor Dimitrievtch refusait que quiconque, à part Zénaïde Antonovna, assistât à l'opération.

Assis au bord du lit, la veste du pyjama retroussée sur les épaules, il frissonnait de froid et de crainte. Le docteur Philippov détermina l'endroit de la piqûre par percussion, désinfecta l'emplacement choisi avec de l'éther et fit une injection de quelques gouttes de novocaïne pour obtenir une anesthésie locale. Au bout d'un moment, il prit une grosse seringue et enfonça l'aiguille dans le dos du malade. Igor Dimitrievitch éprouva une douleur sourde, diffuse, profonde, suivie d'une sensation de dégagement pulmonaire qui lui donna un étourdissement. Le surplus du liquide s'évacua lentement par aspirations successives. Quand ce fut fini, il se sentit à la fois libéré et affaibli, avec une légère accélération du cœur. Zénaïde Antonovna l'aida à se recoucher. Il sourit au docteur Philippov qui le complimentait sur sa vaillance :

— Je ne vous ai pas trop tourmenté, Igor Dimitrievitch ?

— Non, balbutia-t-il. C'était très... très supportable... Merci... Je me sens mieux maintenant... Il me semble que je respire...

Ses fils et ses brus rentrèrent dans la chambre. Tous en chœur affirmèrent qu'il avait bonne mine, malgré la fatigue de la ponction. Il se trouvait placé en vedette. Cette situation de primauté ne lui déplaisait pas. Jouant le courage moral, il félicita Martine sur l'élégance de sa robe d'été, bleue à pois blancs, avec un petit col blanc d'écolière. Elle lui assura qu'il l'avait déjà vue.

— Non, non, marmonna-t-il d'une voix épuisée. Je te dis que je la vois pour la première fois. Autrement, je m'en souviendrais...

Puis, par souci d'équilibre familial, il adressa quelques mots aimables à Huguette. Le docteur

Philippov, s'étant lavé les mains, refermait sa trousse. Il avait des gestes doux et méticuleux.

— Est-ce qu'il faudra recommencer ? lui demanda Igor Dimitrievitch.

— Pas avant quelque temps, dit le médecin. Rien ne presse. Nous verrons, le moment venu...

— Je ne m'en sortirai donc jamais, docteur ?

— Mais si... mais si... Laissez-moi faire... Ayez confiance...

Toujours les mêmes mots, les mêmes mensonges auxquels on se raccroche pour surnager au milieu du naufrage.

— Ne te plains pas, papa ! dit Boris. Tel que tu me vois, je suis plus malade que toi !

Igor Dimitrievitch se figea dans l'attention :

— Qu'as-tu ?

Boris partit d'un éclat de rire :

— Rien d'important ! Ma hernie s'est aggravée parce que j'ai trimbalé des caisses sur le chantier, à Rambouillet. On doit m'opérer mardi prochain.

— Et c'est maintenant que tu me le dis ?

— Nous ne voulions pas vous inquiéter inutilement, père, intervint Huguette.

— Oui, bien sûr. Mais tu n'avais pas le droit de me cacher ça, ma chère ! Qui l'opérera ?

— Le professeur Balin. Un as !

— Bon... bon... Mais pourquoi si vite ?

— D'après notre médecin, il ne faut pas trop attendre parce que la hernie tend à s'agrandir.

Malgré les recommandations d'Igor Dimitrievitch, ce n'était pas le docteur Philippov qui soignait ses enfants. Ils avaient — Dieu sait pourquoi — leur propre médecin généraliste. Un Français.

— Et vous, qu'en pensez-vous ? demanda Igor Dimitrievitch en se tournant vers le docteur Philippov.

— Mon confrère a certainement raison, dit le docteur Philippov. Bien que ce genre d'opération ne présente aucun danger, il ne faut pas la différer trop longtemps. Quant au professeur Balin, que je connais personnellement, c'est un chirurgien de premier ordre. Vous pouvez dormir sur vos deux oreilles.

Rassuré sur le sort de son fils, Igor Dimitrievitch se replia en lui-même. La machinerie de son corps redevint le centre de son attention. Il écoutait son cœur, il surveillait sa respiration. Un épuisement nauséeux le gagnait. Il ferma les yeux. Les visiteurs le quittèrent sur la pointe des pieds.

Pourtant il n'avait pas sommeil. Les images qui défilaient dans sa tête n'étaient pas celles du rêve mais de la mémoire. Ayant laissé Hélène et les enfants à Moscou, il se rendait à Astrakhan pour affaires. Arrivé à la gare de Tsaritsyne, il apprenait que la ligne de chemin de fer, coupée par d'abondantes chutes de neige, ne serait pas déblayée avant quelques jours. Alors il décidait de poursuivre son voyage vers Astrakhan en traîneau et louait une troïka au relais de poste. Enseveli sous les fourrures, il avait disposé à ses pieds une cantine et des boîtes de conserve. En rase campagne, les chevaux prenaient de la vitesse. Leurs clochettes tintaient dans un vide astral. Fouetté par le vent de la course, Igor Dimitrievitch se frottait le visage pour ramener le sang dans ses chairs mortes. La nappe de neige s'étendait à perte de vue et rejoignait le ciel. A moins que ce ne fût le drap de lit dans la pénombre de la chambre. Ce drap faisait des plis à la hauteur des genoux. Zénaïde Antonovna l'avait mal tiré. C'était insupportable ! Le lui dire. La troïka glissait dans un néant monotone. Un pâle soleil mourait dans le brouillard de lait. Seuls les poteaux télégraphiques marquaient le tracé incertain de la route. Soudain l'horizon s'assombrissait, la tempête se levait avec une fureur de cauchemar. Un sifflement continu rasait le sol. Les flocons volants entraient dans la bouche, piquaient les narines, collaient les paupières. Igor Dimitrievitch étouffait dans toute cette farine glacée. Il en avait plein les poumons. Seule une ponction pouvait le soulager. Vite le docteur, la seringue, Zénaïde Antonovna... Plus de route. Les poteaux télégraphiques avaient disparu comme emportés par l'ouragan. Les chevaux s'immobilisaient. Le cocher se désespérait : « Nous sommes perdus, barine ! La colère de Dieu est sur nous ! » « Descends de ton siège, bourrique ! lui répliquait Igor Dimitrievitch. Prends ma lanterne et marche en décrivant des cercles de plus en plus larges autour du traîneau. Quand tu rencontreras un poteau télégraphique, tu me feras signe avec le fanal. Je te rejoindrai en conduisant le traîneau. Alors, tu recommenceras pour le poteau suivant. Ainsi, nous retrouverons notre chemin. » A contre-cœur, le cocher obéit. Igor Dimitrievitch le remplaça sur le siège et prit les guides. Rallumer la lampe de chevet. A quoi bon ? Il savait bien que tout cela se passait dans sa tête. Comme c'était agréable de se retrouver là-bas, même en pleine tourmente ! Les chevaux, terrorisés, bougeaient les oreilles. La lanterne à acétylène s'éloignait en se balançant dans la rafale. Les yeux bridés par l'attention, Igor Dimitrievitch discernait à peine cette flamme vivante qui errait à travers l'immensité de la steppe. Déjà, il regrettait de s'être privé de son compagnon. Jamais il ne le reverrait. La nuit venait vite. Ils allaient mourir tous les deux, loin l'un de l'autre, perdus, gelés, en plein désert. « Et Hélène qui m'attend à Moscou... Les enfants... Mes rendez-vous à Astrakhan... Je suis trop jeune pour disparaître ainsi !... Ce n'est pas juste !... Dieu ne peut pas permettre... » Il ouvrit la cantine et but de la vodka au goulot de la bouteille pour se réchauffer. Un trait de feu lui tarauda la poitrine. Autour de lui, la bourrasque redoublait de violence. Il pressa sa figure contre ses moufles craquantes. Les os du front lui faisaient mal. Et subitement, là-bas, dans l'infini tumultueux, il aperçut un halo jaunâtre qui s'abaissait et se relevait à trois reprises. Pas de doute : c'était le signal ! Etonné par la joie, Igor Dimitrievitch fouetta les chevaux et se dirigea lentement vers cette étoile mouvante. Une légère usure apparut dans le tourbillonnement des flocons. L'attelage entrait dans une zone plus clémente. La tempête s'apaisait. Bientôt, Igor Dimitrievitch découvrit la silhouette encroûtée de neige du cocher et, à côté de lui, le fût d'un poteau télégraphique. Il descendit du traîneau, appliqua son oreille au bois rugueux du poteau et écouta, le cœur en fête, chanter les fils d'acier dans le ciel noir. « Je suis sauvé ! » pensa-t-il avec ivresse. Et il eut envie de remercier, une fois de plus, le docteur Philippov qui l'avait tiré d'affaire.

13

En se couchant pour la sieste, Igor Dimitrievitch savoura le double plaisir d'avoir un corps dispos et un esprit tranquille. Il se sentait tellement allégé depuis la ponction qu'il retrouvait en lui, par éclairs, la joie de vivre de son bel âge. Avant de s'assoupir, il caressa du regard, amoureusement, les objets qui, depuis si longtemps, lui tenaient compagnie : la lampe de chevet avec la caravelle peinte sur l'abat-jour, le téléphone trapu, toujours sur ses gardes, la montre à grand cadran rond qui lui venait de son père, les pendulettes rangées en demi-cercle sur des guéridons, autour de son lit, les photos de famille dans leurs cadres. Zénaïde Antonovna fourgonnait dans la cuisine. Tout était calme, ordonné, habituel. Il ferma les paupières et chercha un sujet de méditation heureuse. Le sommeil vint si rapidement qu'en entendant sonner à la porte d'entrée il se crut encore dans son rêve. Ce fut un peu plus tard qu'il s'éveilla tout à fait. Un bruit confus venait de la cuisine. Des soupirs, des chuchotements. La porte de la chambre s'entrebâilla sur la silhouette de Nicolas :

— Entre, grommela Igor Dimitrievitch en se haussant sur ses oreillers.

Il était mécontent d'être dérangé dans son repos de l'après-midi. Vraiment son fils aurait pu choisir une autre heure pour lui rendre visite ! Comme Nicolas s'approchait du lit, il lui trouva un visage anormalement pâle et tendu.

— Martine n'est pas avec toi ? dit-il machinalement.

— Non, papa. Elle est auprès d'Huguette.

Igor Dimitrievitch le regretta à part soi et désigna une chaise :

— Assieds-toi.

Nicolas restait debout, les bras ballants, le front plissé, les yeux vagues. Derrière lui, apparut Zénaïde Antonovna. Elle haletait, comme prise d'un rire incoercible. Mais, au bout d'un moment, Igor Dimitrievitch s'aperçut que ces hoquets étaient des sanglots contenus. Il eut peur et demanda :

— Que se passe-t-il ?

— Calme-toi, papa, murmura Nicolas. J'ai une grave nouvelle à t'apprendre. Boris...

— C'est bien demain qu'on doit l'opérer ?

— Nous te l'avions dit pour ne pas t'alarmer à l'avance. En fait, il a été opéré ce matin.

— Et alors ?

— Alors... Eh bien, je t'en prie, papa, sois courageux... Les choses se sont mal passées... Le chirurgien n'y est pour rien... C'est le cœur qui a lâché... Boris n'a pas supporté l'anesthésie... Personne ne pouvait prévoir...

— Prévoir quoi ? questionna Igor Dimitrievitch d'une voix blanche.

Mais, si sa tête hésitait encore à accepter l'évidence, son cœur y répondait déjà par un tremblement horrifié. Frappé de stupeur, il cherchait en vain un point d'appui dans le cataclysme. Tout le lâchait à la fois, ses muscles, ses nerfs, son cerveau. Il défaillait de chagrin, d'épouvante et d'interrogation intense. Comme il avait toujours l'air de ne pas comprendre, Zénaïde Antonovna gémit en se tordant les mains :

— Il est mort, Igor Dimitrievitch !... Là-bas... à la clinique... sur la table d'opération... Que le royaume céleste lui soit acquis !...

Elle se tourna vers l'icône et se signa d'un geste large. Igor Dimitrievitch se signa, lui aussi. Un grand calme s'était installé en lui après la première secousse. Son fils mort. Il essayait de s'habituer à cette idée absurde. Tout enfant déjà, Boris était si maladroit qu'il se blessait pour un rien. Un jour, jouant à la « chaîne » avec ses petits camarades, dans la cour du lycée, il avait été projeté contre un arbre et s'était démis le genou. Une autre fois, il s'était tranché le bout du doigt en coupant du saucisson. Hélène l'avait surnommé « Monsieur Trente-Six Malheurs ». « Et maintenant, voilà, il meurt bêtement, à cause d'une hernie. Pourquoi lui et pas moi ? Il avait cinquante-sept ans, la santé, une femme, un enfant, deux petits-enfants, un but dans la vie, moi je vais avoir quatre-vingt-treize ans, je suis veuf, je suis malade, je suis seul, je n'intéresse personne... Et c'est lui qui s'en va ! Quelle injustice ! » Subitement il se sentit coupable d'exister encore. Il lui semblait que le regard de Nicolas et de Zénaïde Antonovna lui reprochait sa survie. Tous les jeunes, tous ceux qui formaient la part active de la société ne pouvaient que le condamner pour sa longévité incongrue... En même temps, il éprouvait une bizarre fierté d'être encore là, à peu près valide, dans sa chambre. Il entendait son cœur battre, ses poumons respirer et s'émerveillait de leur résistance à l'usure. Nicolas se pencha sur lui et l'embrassa avec une tendresse virile :

— Mon pauvre papa ! Je devine ce que tu ressens ! C'est horrible ! Nous sommes tous sous le choc !

Igor Dimitrievitch tressaillit, comme réveillé d'un mirage. Ces paroles lui rappelèrent quelques devoirs de circonstance. Il y avait des gestes à faire, des mots à prononcer dans un cas pareil.

— Comment Huguette supporte-t-elle son malheur ? demanda-t-il.

— Elle est très vaillante, dit Nicolas. Elle se domine. Martine et Muriel ne la quittent pas.

— C'est bien... c'est très bien... Et où... où est Boris ?

— A la clinique. On le transportera de là directement à l'église de la rue Daru où aura lieu le service funèbre.

— Je veux le voir.

— C'est impossible, papa. Tu n'aurais pas la force...

Igor Dimitrievitch protesta pour la forme :

— Je ne puis me séparer ainsi de mon fils !

— Nous demanderons au docteur.

— C'est entendu : s'il dit non, je n'irai pas à la clinique... Ah ! Nicolas, j'ai la tête à l'envers, je ne puis le croire ! Boris, mon petit Boris...

Il bégayait. Le désespoir, un instant maîtrisé, refluait en lui avec une violence bouillonnante. Des larmes jaillirent de ses yeux. Il suffoqua et se laissa aller en arrière sur ses oreillers.

— Je voudrais mourir aussi, balbutia-t-il. Qu'est-ce que je fais ici-bas ? Je ne sers à rien ! J'embête tout le monde !...

— Papa, mon cher papa ! répétait Nicolas en continuant à l'embrasser avec rudesse.

— Igor Dimitrievitch, se lamentait Zénaïde Antonovna, reprenez-vous, pour l'amour du ciel !

Leur affolement le réconfortait. En craignant qu'il ne supportât mal la nouvelle de cette mort, ils lui reconnaissaient le premier rôle dans le drame. Toutes les angoisses tournaient autour de lui. Placé au centre des préoccupations familiales, il se détendait, il s'apaisait. Sa respiration redevenait régulière. Zénaïde Antonovna lui apporta un verre d'eau où elle avait délayé quelques gouttes d'une mixture calmante. Ayant bu, il récita à mi-voix le Notre Père. Nicolas téléphona au docteur Philippov. Celui-ci déconseilla formellement d'amener le malade à la clinique devant le corps de son fils.

— Alors, j'irai à l'église, décida Igor Dimitrievitch.

— Nous en reparlerons, dit Nicolas.

Il paraissait à la fois ravagé et résolu. Tout le

poids des formalités retombait sur lui. Il allait s'en occuper dès cet après-midi.

— Je voudrais pouvoir t'aider, dit Igor Dimitrievitch.

— Tu n'as qu'une façon de m'aider, papa, dit Nicolas, c'est en te reposant, en te raisonnant, en acceptant l'irrémédiable.

— Il faudra absolument faire passer une annonce nécrologique dans *La Pensée russe*.

— Bien sûr !

— Nous pourrions la rédiger ensemble.

— Non, papa. Je m'en charge.

— Et pour l'office funèbre... Je veux quelque chose de très beau... Comme pour ta mère...

— Fais-moi confiance.

Igor Dimitrievitch se rassurait peu à peu. Homme d'ordre, il aimait que la tradition fût respectée. Or, Nicolas était un garçon sérieux. Tout serait fait selon les règles. Boris aurait un enterrement convenable. C'était tout ce qu'on pouvait encore souhaiter.

Après le départ de son fils, Igor Dimitrievitch voulut se lever, s'habiller et s'asseoir dans la salle à manger, par discipline. Une fois installé dans son fauteuil, devant la table, il renonça à étaler une patience ou à écouter la radio. Son deuil lui interdisait toute distraction. Immobile, les yeux perdus dans le vide, il s'efforçait de réfléchir au grand malheur qui venait de le frapper. Mais constamment sa pensée s'égarait sur des sujets plus futiles. Quel costume mettrait-il pour aller à l'église ? Avait-il encore une cravate noire ? Pourrait-il supporter ses souliers neufs qui le blessaient au talon ?

Un peu plus tard, il reçut la visite de Martine et de Muriel. Elles étaient bouleversées. Il se mit à leur diapason. Pendant une heure on parla des qualités de Boris, de sa gaieté, de son dynamisme, de son amour de la campagne, du courage d'Huguette, de la responsabilité du chirurgien et de l'anesthésiste. Puis les deux femmes se retirèrent pour retourner auprès du corps, à la clinique.

Igor Dimitrievitch se sentit fatigué et demanda à dîner tôt et légèrement. Pendant le repas, il se plaignit incidemment parce que les nouilles étaient trop cuites et le jambon trop salé. Zénaïde Antonovna lui lança un regard de reproche. Il eut conscience d'avoir manqué à son devoir de douleur en osant critiquer la nourriture. Quoi qu'il fît, quoi qu'il dît, il n'était pas dans le ton. En se recouchant, ce fut avec des précautions oratoires qu'il pria Zénaïde Antonovna de mieux arranger ses oreillers et de tirer ses couvertures. Elle s'exécuta sans un mot. Mais il savait ce qu'elle avait en tête : « Comment peut-il se préoccuper de ses aises alors que son fils est mort ? » Et pourtant il le fallait bien : sinon il dormirait mal et se réveillerait courbatu. Voilà ce que personne ne voulait comprendre !

La nuit fut relativement bonne. Le lendemain matin, en rouvrant les yeux dans la pénombre, Igor Dimitrievitch éprouva le poids désagréable d'un genou sur sa poitrine. Ce malaise physique s'accompagnait d'un sentiment d'inconfort moral, de sourde contrariété. « Qu'est-ce qui ne va pas dans mon existence ? » se demanda-t-il, le cerveau encore embrumé. La réponse l'atteignit, vibrante comme une flèche : « Ah oui ! Boris est mort ! » Tout était disloqué, gâché, à cause de cet événement imprévisible. Désormais, il devrait s'habituer à vivre avec un seul fils au lieu de deux. On venait de lui retirer brutalement une béquille. Déséquilibré, il vacillait sur ses jambes de coton. Devenue veuve, Huguette allait-elle continuer à lui verser sa part de la pension alimentaire mensuelle ? Ne finirait-il pas ses jours dans une maison de retraite parce que Nicolas ne pourrait plus subvenir seul à ses besoins ? C'était évidemment horrible de penser à l'argent en un moment pareil. Mais était-ce sa faute s'il dépendait des autres, dans sa vieillesse ? Après un bref accès de panique, il se contrôla. Jamais Nicolas ne l'abandonnerait. Ni Huguette d'ailleurs. Elle aurait à cœur de continuer à l'aider comme du vivant de son mari. Il avait de braves enfants. Que n'eût-il donné pour n'avoir pas à compter sur eux, lui qui avait eu jadis l'indépendance, la force, la santé, la fortune ! Quelle déchéance ! Il calcula qu'il avait passé plus de temps en France dans la médiocrité qu'en Russie dans l'opulence. De nouveau, il ramenait tout à lui. Pouvait-il faire autrement dans son état ?

Ponctuelle et gémissante, Zénaïde Antonovna vint le lever, le conduire aux cabinets, à la salle de bains, le bichonner, lui donner ses médicaments. Rasé de près, vêtu d'un pyjama propre, il se sentit tout à fait capable de sortir. Si le temps restait au beau, il pourrait se rendre à l'église pour les obsèques de son fils comme il en avait formé le projet. La perspective de ce périlleux déplacement l'obsédait. Cela devenait un but dans son existence monotone. Il se préparait à l'épreuve avec une impatience qui ressemblait à de la joie. Il y avait longtemps qu'il n'avait assisté à un office religieux, rue Daru ! En s'y montrant, il étonnerait tout le monde. « Tiens, Igor Dimitrievitch Lébédev ! » Mais qui le connaissait encore dans la colonie russe ?

Huguette et sa fille passèrent le voir, en fin

d'après-midi. Elles étaient toutes deux en vêtements de deuil. Pas maquillées. Les lèvres pâles. Les yeux rouges. Sans un bijou. La vue des robes noires impressionna désagréablement Igor Dimitrievitch. Il ne concevait les femmes que dans l'élégance, la légèreté et la couleur. Néanmoins il rendit hommage à la sérénité et à la dignité de sa bru. Malgré son désarroi, Huguette était incontestablement la personne la plus équilibrée de la famille. Après les baisers et les soupirs, on en vint à parler des détails pratiques. Nicolas arriva sur ces entrefaites. Il apportait des nouvelles importantes : le service funèbre était prévu pour le surlendemain, à quatorze heures trente. Pendant la conversation, le téléphone sonna. Par habitude, Igor Dimitrievitch pensa : « C'est Boris ! » Il faillit même le dire et s'arrêta net au bord du vertige. Etonné de sa bévue, il regardait autour de lui comme pour appeler au secours. Puis les larmes noyèrent ses yeux. Zénaïde Antonovna lui présenta un mouchoir. Entre-temps, Nicolas avait répondu au téléphone : une erreur. Igor Dimitrievitch se moucha et annonça son intention d'assister à la cérémonie. Il se sentait, disait-il, parfaitement bien. Puisqu'il avait pu naguère se rendre à Rambouillet, pourquoi ne pourrait-il pas se rendre, après-demain, à l'église ? Personne ne protesta. Un point le préoccupait encore : Zénaïde Antonovna avait-elle retrouvé sa cravate noire ? Sinon il fallait vite en acheter une. Elle lui affirma que la cravate noire était à sa place et qu'elle l'avait même déjà repassée. A partir de cet instant, il recouvra toute son assurance. Il envisagea même de garder Nicolas, Huguette et Muriel à dîner, et de téléphoner à Martine pour qu'elle vînt les rejoindre. Mais tous refusèrent sous divers prétextes. S'était-il montré maladroitement désinvolte dans sa proposition ? Il avait l'impression d'en faire tantôt trop, tantôt pas assez.

Quand les « jeunes » le quittèrent, il demanda à Zénaïde Antonovna de lui apporter l'album de photographies. Il tournait les pages de fort papier bistre et s'arrêtait chaque fois qu'il voyait une image de Boris. Il le suivit ainsi à travers tous les âges. Le dernier instantané avait été pris à Rambouillet. Boris riait en brandissant une scie. Igor Dimitrievitch resta longtemps les yeux fixés sur ce visage de bonheur. C'était étrange : tout basculait ! Comme un ciel longtemps serein est envahi progressivement par des nuées annonciatrices de l'orage, de même il se sentait, de mois en mois, davantage gagné par l'afflux des souvenirs russes. Ils étaient si nombreux qu'ils en arrivaient à masquer l'horizon français. Tout à coup, on se retrouvait ailleurs. Chez soi. Avec ses anciens compagnons de route. Le passé avait vaincu le présent.

*

Selon l'usage, toute l'assistance était debout dans l'église, derrière le cercueil. Seul Igor Dimitrievitch, trop faible pour se tenir sur ses jambes, avait pris place sur une chaise, au premier rang. Tandis que l'office des morts déployait ses fastes, il perdait peu à peu contact avec la réalité. Les paroles sacrées du prêtre, ses allées et venues solennelles, les chants graves du chœur, la flamme mince des cierges, tout cet appareil de dorure et d'encens l'empêchait de réfléchir calmement à son malheur. Au lieu de se désespérer, il constatait que Nicolas avait bien fait les choses, qu'il y avait beaucoup de fleurs autour du catafalque, que le service funèbre se déroulait sans accrocs. En tournant légèrement la tête, il cherchait des visages de connaissance parmi la petite foule qui se pressait dans la nef. Mais, à part la famille, il ne voyait que des étrangers. Ses amis à lui étaient morts depuis longtemps. Il continuait à vivre, par la force acquise, dans un monde qui n'était plus le sien. Comme il l'avait prévu, ses souliers lui faisaient mal. Cette douleur lui gâchait le spectacle. Il avait envie de se déchausser et remuait les pieds sous sa chaise, à la recherche d'une meilleure position. La cire du petit cierge qu'il tenait à la main coulait sur ses doigts en larmes chaudes. La minuscule flamme allongée le fascinait. Le temps se dévidait à l'envers. Il assistait, à cette même place, aux obsèques de sa femme. Oui, ce n'était pas Boris qui se trouvait dans le cercueil, mais Hélène. Il venait de la perdre. Son avenir n'avait plus de sens. Il regarda ses voisins : Nicolas, Bernard, plus loin Huguette, Martine, Muriel, Lorraine, Zénaïde Antonovna. Tous avaient des visages tristes et recueillis. Il calcula que, dans ce petit groupe, seuls Nicolas et Zénaïde Antonovna étaient orthodoxes. A un moment donné, l'assemblée s'agenouilla. Incapable de bouger, Igor Dimitrievitch se contenta de baisser fortement la tête. Ce mouvement déclencha un spasme dans sa poitrine. Il étouffait, la bouche ouverte sur un air qui se dérobait au lieu d'affluer dans ses poumons. L'odeur de l'encens lui soulevait le cœur. Mille moucherons de lumière tournoyaient dans son cerveau. Pris de faiblesse, il s'affaissa sur sa chaise et glissa mollement par terre. Nicolas et Bernard se précipitèrent pour le relever. Le petit cierge lui échappa de la main et s'éteignit. La foule s'écarta. Igor Dimitrievitch sortit, soutenu par les deux hommes, pendant que l'office continuait derrière son dos. Une fois dehors, il se sentit mieux et voulut retourner dans l'église. Nicolas s'y opposa énergiquement :

— Tu as commis une imprudence en venant, papa. Tu vas immédiatement rentrer à la maison !

— Je vous conduirai en voiture, dit Bernard. Et nous nous retrouverons tous chez vous après l'enterrement.

Zénaïde Antonovna, qui les avait rejoints dans le jardin de la cathédrale, insista de son côté :

— Je pars avec vous, Igor Dimitrievitch. Ne vous inquiétez pas. C'est un petit malaise. Au besoin, nous appellerons le docteur Philippov.

— Non, pas de docteur, marmonna-t-il. C'est assez de dérangements comme ça !... Quel scandale !... A l'église !... Devant tout le monde !... Pendant le service funèbre... de mon fils !... Je ne me le pardonnerai jamais !

Il se frappait le front avec son poing. Zénaïde Antonovna lui mit son chapeau et voulut lui nouer son écharpe autour du cou. Il la repoussa :

— J'ai trop chaud ! Laissez-moi !

Néanmoins il accepta de monter avec elle dans l'auto.

Après les avoir déposés tous deux avenue Bosquet, Bernard retourna à l'église pour assister à la fin de l'office. L'inhumation devait avoir lieu dans le caveau familial, au nouveau cimetière de Neuilly. Igor Dimitrievitch aurait bien voulu s'y rendre, mais il reconnaissait qu'il n'était pas de force à surmonter une telle épreuve. Zénaïde Antonovna le déshabilla, l'aida à se déchausser. Il avait les pieds enflés. En retirant ses souliers, il poussa un ouf ! de soulagement. Puis elle le coucha et téléphona au docteur Philippov. Par chance, le médecin était chez lui. Il accourut, ausculta son malade, recommanda le repos et prescrivit encore des comprimés diurétiques. Manifestement, il ne savait plus que tenter pour s'opposer au retour du liquide dans les poumons.

— Il est encore trop tôt pour pratiquer une nouvelle ponction, dit-il. Dans quelques jours, nous verrons...

Et il s'en alla. Aussitôt Igor Dimitrievitch se fit apporter le dernier numéro de *La Pensée russe*, où figurait l'annonce nécrologique. Il y en avait une douzaine, étagées sur la même page, et encadrées de filets noirs. Pour la sixième fois, il relut le texte surmonté d'une croix orthodoxe : « Il a plu à Dieu de rappeler à lui son serviteur Boris Igorovitch Lébédev... » Au bout d'un moment, il demanda des ciseaux, découpa soigneusement l'avis de décès, le glissa dans son portefeuille, sous l'oreiller, et soupira :

— Voilà, je n'ai même pas été capable d'accompagner mon fils jusqu'à sa dernière demeure !

Puis une idée le traversa et il dit presque gaiement :

— Quand ils reviendront du cimetière, il faudra leur servir quelque chose.

— Je vais préparer le thé, dit Zénaïde Antonovna.

— Avec des biscottes, de la confiture... En avez-vous ?

— Oui, oui, nous avons tout cela. Tranquillisez-vous.

Elle s'apprêtait à quitter la chambre, mais il la retint et demanda encore :

— Vous ne m'avez pas dit comment vous avez trouvé notre gerbe de fleurs.

— Très belle.

— C'est Martine qui l'a choisie.

144

— Je sais, Igor Dimitrievitch.

— Et le chœur, qu'en pensez-vous ?

— C'était bien.

— C'était même très bien, affirma-t-il avec une sorte de compétence satisfaite. J'aurais voulu rester jusqu'au bout...

Et il ajouta, un ton plus bas :

— J'ai honte !

Cependant, il ne pleurait pas. En paix avec sa conscience, il se laissa aller au creux de ses oreillers, croisa les mains sur sa poitrine et ferma les yeux. Il ne se réveilla qu'en entendant sonner à la porte d'entrée. Toute la famille se retrouva autour de son lit. Mais pourquoi Boris n'était-il pas venu avec eux ?

14

Après la mort de son fils, Igor Dimitrievitch éprouva inexplicablement un regain de vigueur. Comme si cette disparition, si cruelle pour lui, l'eût enraciné plus profondément dans la vie. Il se réjouit donc, à travers son deuil, de cette amélioration inespérée. Puis ses étouffements recommencèrent. Une seconde ponction ne le soulagea que très provisoirement. La peur le reprit. Il avait un goût amer dans la bouche et se persuadait que tout son corps dégageait une odeur désagréable. Cela ne le gênait pas vis-à-vis de Zénaïde Antonovna. Mais il souffrait à l'idée que Martine pût s'apercevoir de cette disgrâce physique. Il la voyait moins souvent depuis deux semaines. Elle s'occupait à organiser son appartement. Elle voulait le décorer et le remeubler selon son goût. Huguette, elle, essayait d'oublier son deuil en s'acharnant à aménager « La Bergerie ». La bâtisse était déjà habitable. Les premiers meubles y avaient été transportés, la semaine précédente. Boris, qui était si fier de sa maison de campagne, n'aurait pas eu la chance de passer une seule nuit dans ces murs. Huguette s'en plaignait âprement. Igor Dimitrievitch soupirait avec elle. Mais son esprit était ailleurs. Au degré de délabrement où il était parvenu, tout ce qui n'était pas sa santé lui paraissait insignifiant. Ses proches avaient beau lui répéter qu'il guérirait, il ne les croyait plus. Sans doute mentaient-ils pour se rassurer eux-mêmes. En persistant dans l'optimisme, ils se donnaient de bonnes raisons pour éviter de le voir. Alors que naguère encore il pensait rarement à son père, il rêva de lui plusieurs nuits de suite. Il le revoyait tel qu'il était dans les dernières années de sa vie, grand, fort, avec une barbe grise en fer à cheval. Lui-même n'avait pas d'âge. Son père l'invitait à le suivre en promenade. Igor Dimitrievitch lui donnait la main. Ils sortaient ensemble par une porte vitrée et marchaient côte à côte dans un jardin ensoleillé où poussaient des concombres et des pastèques. Cela signifiait-il que le défunt l'appelait à le rejoindre ? Au vrai, Igor Dimitrievitch connaissait plus de monde dans l'au-delà que sur terre. Son père, sa mère, Boris, Hélène, tous ses amis de Russie... Sa véritable patrie était parmi eux. Il se le répétait pour avoir le courage de quitter la vie et, simultanément, s'inquiétait à l'idée qu'avec le temps des vacances Paris allait se vider. La menace de cette prochaine solitude, au mois d'août, dans une ville quasi déserte, le désespérait. Mais Nicolas et Martine renoncèrent à partir pour l'Espagne et se contentèrent de rejoindre Huguette dans sa maison de Rambouillet. Ainsi ne s'éloignaient-ils pas trop du malade et pouvaient-ils, à tout instant, accourir à son chevet sur simple coup de téléphone. Malgré la commodité de cet arrangement, Igor Dimitrievitch se jugea abandonné par sa famille. Il ne se plaignait pas, mais sa souffrance était profonde. Nicolas pouvait bien lui téléphoner chaque jour de la campagne, il lui répondait par bribes, d'une voix neutre. Pour de plus amples informations sur son état de santé, il passait l'appareil à Zénaïde Antonovna.

Maintenant que les enfants étaient loin, elle était le seul visage humain qu'il pût contempler du matin au soir. Vivant en marge du monde, ils s'étaient inventé des habitudes et presque un langage ésotérique. C'est elle qui avait imaginé ce charabia. Elle ne disait plus « les cabinets », mais, Dieu sait pourquoi, « l'oasis ». Pour le convier à prendre le thé, elle chantonnait : « Les canaris vont se rassembler autour de l'abreuvoir ! » Ces formules bêtifiantes agaçaient Igor Dimitrievitch. En même temps, il était rassuré de les entendre. Elles le rapprochaient de Zénaïde Antonovna comme le cérémonial obscur d'une secte, elles l'enfonçaient dans un nid d'ouate. D'ailleurs, elle ne les utilisait jamais devant des tiers. Quand la famille reviendrait de vacances, ils reprendraient leur dialogue habituel, accessible à tous. Souvent Igor Dimitrievitch enviait les « jeunes » qui, après avoir passé une heure auprès de lui, s'éclipsaient en disant : « Il faut que je parte. J'ai un rendez-vous. » Lui n'avait plus jamais de rendez-vous. Il n'était attendu par personne. Même le docteur Philippov le délaissait. Il était parti pour trois semaines après lui avoir recommandé un remplaçant, le docteur Rupin, un Français, paraît-il très capable. Mais

Igor Dimitrievitch espérait bien n'avoir pas besoin de médecin dans les prochains jours.

Une lourde touffeur s'était abattue sur la ville. Craignant les courants d'air pour son malade, Zénaïde Antonovna hésitait à ouvrir les fenêtres. On vivait les volets clos, dans la demi-obscurité. Heureusement, la chambre d'Igor Dimitrievitch était orientée au nord. Etait-ce un effet de la chaleur ? Huit jours après le départ du docteur Philippov, il se sentit moins bien. Ses jambes se remirent à enfler, son essoufflement s'accentua, son angoisse revint, lancinante. Cependant il refusa d'appeler le docteur français. Assis dans son lit, à la nuit tombante, le buste relevé, la bouche ouverte, happant l'air, il écoutait ce soufflet de forge qui se dépliait et se repliait dans sa poitrine. Etait-ce le signe avant-coureur de la fin ? Il en doutait encore. Certes, il savait qu'il mourrait un jour, comme tout le monde. Mais cette idée, purement théorique, n'était pas descendue de son cerveau dans sa chair. Si sa raison acceptait la perspective d'une disparition nécessaire, toute une part incontrôlable et un peu folle de lui-même répétait qu'il était un être exceptionnel, échappant à la loi commune, que les choses ne se passeraient pas pour lui comme pour les autres, que Dieu ne permettrait pas... Puis il repensait à Boris dans son cercueil, et de nouveau sa peau se hérissait d'horreur. Pas de doute possible : aucun remède ne pourrait empêcher sa destruction. Chaque souffle le rapprochait de la grande culbute. Etait-ce pour demain ? Pour après-demain ? Dans trois semaines, il allait fêter son quatre-vingt-treizième anniversaire. Cette date lui semblait une sorte de garantie. Dieu ne pouvait le rappeler avant ! « Je suis encore là, dans mon lit, entouré de mes pendulettes, de mes photographies, songeait-il. Mais tout à l'heure, si ma vie s'arrête, que vais-je devenir ? J'ai le droit de savoir ce qui m'attend ! » Avec épouvante, il essayait d'imaginer la caisse, le trou, la terre opaque, l'envol de l'âme libérée. Et après, quoi ? La rencontre éblouissante avec Dieu, les retrouvailles angéliques avec les êtres chers, une euphorie éternelle ? Ou la dilution dans l'éther noir du ciel, l'errance anonyme, l'anéantissement cosmique ? Etait-il juste que tout ce qu'il avait vécu, l'amour, la richesse, la révolution, l'exil, la pauvreté, la vieillesse, la nostalgie, disparût avec lui ? Il avait envie qu'on le plaignît, comme sa mère le faisait autrefois lorsqu'elle berçait ses chagrins d'enfant. Mais il avait une moustache grise, un dentier, et, à cause de cela, c'était impossible. Avec obstination, il tentait de se rappeler, par raccroc, ce qu'il avait appris en classe. Il n'avait jamais été un bon élève. Son instruction comportait de graves lacunes. Par exemple, il s'étonnait d'avoir vécu quatre-vingt-treize ans sans savoir par cœur la liste des grands princes de Moscou ni celle des affluents de la Volga. En revanche, il se souvenait du prix d'une course moyenne en fiacre de luxe, à Moscou, en 1900 : deux roubles cinquante kopecks. Qui se souciait encore de cette précision ? Lui ne pouvait l'oublier. Il avait perdu la mémoire d'événements importants, mais ce détail absurde l'accompagnerait jusqu'à sa mort. Un travail inexorable s'accomplissait dans ses poumons. Le maudit liquide les noyait, les asphyxiait. Toute la carcasse était pourrie. Il perdit la respiration, éprouva un affolement bruyant dans la poitrine et poussa un gémissement qui ressemblait à un râle. Zénaïde Antonovna accourut.

— Ça va mal, gémit-il.

— Je vais appeler le docteur !

— Non. Mes fils !...

— Vous voulez dire Nicolas Igorovitch ! Mais il est dix heures du soir... Nicolas Igorovitch est à Rambouillet avec sa femme...

— C'est égal... Il faut que mes fils viennent... Téléphonez...

— Oui, oui, calmez-vous...

Elle forma le numéro sur le cadran. Il prit l'appareil. Nicolas lui répondit et l'assura qu'il serait là dans l'heure. Cette promesse ne suffit pas à tranquilliser Igor Dimitrievitch. Il haletait, couvert de sueur, un peu de bave aux lèvres, les yeux exorbités, le cœur en désordre. Malgré ses protestations, Zénaïde Antonovna alerta le docteur Rupin. Quand celui-ci arriva, la crise était passée. Igor Dimitrievitch avait un visage las et serein. Le médecin — un jeune homme pointu — l'ausculta, le raisonna, lui fit une piqûre intraveineuse de diurétique et repartit, indifférent.

Après sa visite, Igor Dimitrievitch s'assoupit. Il se réveilla au bruit que firent Nicolas, Martine et Huguette en pénétrant dans sa chambre.

— Je suis heureux de voir que tu vas mieux, papa, dit Nicolas en l'embrassant. Tu nous as fait une de ces peurs !

Huguette et Martine l'embrassèrent, elles aussi. Il fut gêné de leur livrer, dans le rapprochement, son odeur de vieillard au lit, vêtu d'un pyjama pas très propre. Martine était légèrement parfumée. Une eau de toilette sans doute. Igor Dimitrievitch considérait ces visages venus de l'extérieur avec le sentiment qu'une grande distance les séparait de lui. Il ne les regardait pas du fond de son lit, mais du fond d'une fosse. Même la présence de Martine ne suffisait pas à le réconcilier avec le monde des vivants. La fraîcheur de la jeune femme, qu'il avait tant appréciée naguère, le blessait aujourd'hui. Il lui en voulait de sa grâce, de son élégance, de sa chance, de son parfum. Son univers, ce n'était pas cette peau délicate, mais les chairs molles de Zénaïde Antonovna, ses cheveux teints, son œil larmoyant et ses mains qui sentaient le savon de Marseille. Néanmoins, il voulut être poli et balbutia :

— Merci d'être venus de si loin !

— Ce n'est rien, en voiture, dit Nicolas.

— Si, si... Je vous complique la vie... Pardon... pardon... Comment est-ce à « La Bergerie » ?

— Très agréable.

— La maison est enfin prête ?

— Pas tout à fait. Mais nous y sommes bien. Nous campons.

— Les enfants sont avec vous ?

— Oui.

— Surtout, Nicolas, n'oublie pas ce que je t'ai dit pour nos propriétés, en Russie... Tous les documents sont classés dans ma grande... ma grande serviette noire... C'est important... Plus important que tout...

— Oui, papa. Ne parle pas trop. Repose-toi. Nous allons repartir.

— C'est ça... Partez... Je n'ai besoin de rien...

Il les chassait après avoir espéré leur venue. Restée seule avec lui, Zénaïde Antonovna demanda :

— Vous ne voulez pas faire un petit tour à l'oasis, Igor Dimitrievitch ?

Il lui adressa un regard d'humble gratitude et acquiesça de la tête.

Le lendemain, elle lui suggéra d'appeler un prêtre. Il s'étonna :

— Pour quoi faire ?

— Cela apaise l'âme et soulage le corps.

— Vous croyez donc que je vais si mal ?

— Il n'est pas nécessaire d'aller mal pour communier. Vous verrez, après vous serez un autre homme : léger, joyeux... Je vais tâcher d'avoir le père Leonid. Il est si doux, si compréhensif !

Il accepta, plus pour faire plaisir à Zénaïde Antonovna que par conviction sincère. En tout cas, il voulait que la propreté de son corps répondît à celle de son âme. Sur sa demande, Zénaïde Antonovna le conduisit à la salle de bains et le savonna avec précaution. Ces ablutions le fatiguèrent. Il reçut le père Leonid allongé sur son lit. Après s'être confessé et avoir communié, il eut l'impression de s'être mis en règle avec une administration tatillonne. A présent, tout était en ordre. Personne ne pouvait plus rien lui reprocher. Zénaïde Antonovna le félicita. Quand le prêtre eut quitté la chambre, un grand calme descendit en lui. Etait-ce un miracle de la religion ? Mais, peu après, ses poumons furent resserrés dans un étau. De nouveau, il réclama son fils.

— C'est un peu ennuyeux, dit Zénaïde Antonovna. Il est venu pas plus tard qu'hier...

— Qu'il revienne !...

Elle décrocha le téléphone. Igor Dimitrievitch l'entendit parler dans le vide. L'univers s'éloignait de lui par pulsations précipitées. Quelqu'un lui maintenait la tête sous l'eau. Puis, au moment où il allait périr, asphyxié, on le tirait par les cheveux, il émergeait, hors d'haleine, avalait une goulée d'air, revenait à la vie en pleurant. Combien de temps durerait cette suffocation intermittente ? L'instant était venu de quitter ce monde où il n'y avait plus pour lui que souffrance et laideur. Mais, au lieu de lâcher prise et de s'abandonner au courant, il se cramponnait, il luttait. Encore un souffle, encore un battement de cœur, encore un peu de cette lumière sur les moulures de la commode, encore un regard aux pendulettes, à l'abat-jour portant le dessin d'une caravelle. « Que je dure au moins jusqu'à mon anniversaire !... » Il gémissait dans l'effort et Zénaïde Antonovna lui épongeait le front avec un linge.

Un peu plus tard, débordée d'inquiétude, elle téléphona au docteur Rupin. Il était déjà parti pour ses visites en ville. On le préviendrait dès son retour. Ce ne serait pas avant sept heures du soir.

Bien qu'il n'eût aucune confiance en ce jeune médecin, Igor Dimitrievitch regretta son absence. Pourrait-il tenir jusqu'à sept heures ? Quand Nicolas, Martine et Huguette se présentèrent, venant de Rambouillet, il lut dans leurs yeux que, cette fois, ils le jugeaient perdu. Après l'avoir embrassé, ils s'assirent autour du lit avec un air contraint. Ils attendaient. Quoi ? Qu'il poussât le dernier râle ? Peut-être étaient-ils impatients parce que l'agonie traînait en longueur ? Il se rappela leur formule habituelle et voulut dire comme eux : « Il faut que je parte. J'ai un rendez-vous. » Mais il n'eut pas la force de prononcer une phrase aussi compliquée et murmura simplement :

— Comme ça... c'est comme ça...

Après quoi, il entra, la tête la première, dans un nuage noir. L'air bouillonnait dans sa poitrine, sa gorge sifflait, des images incohérentes éclataient dans son cerveau sous la pression du sang. Il était de retour en Russie. Une fois pour toutes. Un instant, il lui sembla toucher le genou d'Hélène dans la calèche qui les emportait sur les routes de Kislovodsk. Puis sa femme s'éloigna de lui avec indifférence, tandis qu'il courait après d'autres fantômes : Boris, Martine, Nicolas, Huguette, Zénaïde Antonovna... Vivants ou morts, tous avaient le même poids dans sa mémoire. Leurs visages se confondaient en un seul magma grisâtre. Bientôt, il les dépassa pour se retrouver en pleine steppe, sous une tempête de neige, aux côtés d'un cocher inconnu. Le cocher avait une voix de femme. Il disait : « Igor Dimitrievitch, m'entendez-vous ? » Il essaya de répondre « oui », mais aucun son ne sortit de sa bouche. Une main rêche se posa sur son front, descendit sur ses yeux. Il respira un relent de savon de Marseille. Le monde était encore là, à portée de ses narines. Tout à coup, cette odeur même s'évanouit. Les derniers signaux terrestres disparurent : Igor Dimitrievitch s'enfonçait dans la nuit, lourdement, par saccades.

*

Après l'enterrement, Zénaïde Antonovna, trop vieille pour chercher une autre place, se réfugia dans une maison de retraite. Nicolas emporta chez lui tous les documents russes de son père et les rangea, sans même les regarder, au fond d'un placard. Les humbles meubles, parmi lesquels Igor Dimitrievitch avait vécu, furent dispersés aux enchères, à l'hôtel Drouot. Quant à l'appartement, qui était la propriété d'Huguette, elle le mit en vente après l'avoir fait nettoyer de fond en comble par une entreprise spécialisée. Les clients défilaient dans les pièces nues, où seules les traces plus claires de quelques cadres sur le papier des murs témoignaient du passage en ces lieux d'un certain Igor Dimitrievitch Lébédev, émigré russe, mort à quatre-vingt-treize ans, après avoir perdu sa patrie, sa femme et un de ses fils. Les visiteurs critiquaient la disposition des chambres, l'aménagement vétuste de la cuisine, l'exiguïté de la salle de bains, le bruit de la rue, « infernal » au premier étage, et cherchaient à faire baisser le prix. Mais Huguette, qui avait le sens des affaires, demeurait inébranlable. Ce fut un couple de jeunes mariés qui finit par acheter l'appartement pour la somme qu'elle avait fixée. Ils étaient enchantés de leur trouvaille. La femme attendait un bébé. Ils décidèrent d'installer la « nursery » dans l'ancienne chambre d'Igor Dimitrievitch.

Littérature

Cette collection est d'abord marquée par sa diversité : classiques, grands romans contemporains ou même des livres d'auteurs réputés plus difficiles, comme Borges, Soupault, Goes. En fait, c'est tout le roman qui est proposé ici, Henri Troyat, Bernard Clavel, Guy des Cars, Alain Robbe-Grillet, mais aussi des écrivains tels que Moravia, Colleen McCullough ou Konsalik.

Les classiques tels que Stendhal, Maupassant, Flaubert, Zola, Balzac, etc. sont publiés en texte intégral au prix le plus bas de toute l'édition. Chaque volume est complété par un cahier photos illustrant la biographie de l'auteur.

Littérature

Impression Brodard et Taupin
à La Flèche (Sarthe) le 30 juin 1989
1573B-5 Dépôt légal juin 1989
ISBN 2-277-22124-4
1er dépôt légal dans la collection : janvier 1987
Imprimé en France
Editions J'ai lu
27, rue Cassette, 75006 Paris
diffusion France et étranger : Flammarion